愛さなくてはいけない
ふたつのこと
Matsuura Yataro

松浦弥太郎

不能
不去爱的
两件事

张富玲·译

湖南人民出版社

成功的别名叫失败

致中国读者

我不讨厌失败这个词。

应该没有喜欢失败的人，但在失败这个词前，我说不上讨厌。那么是喜欢么，也不知该点头还是摇头。但我知道有一个正视这个词的自己的存在。面对失败的心境，是对这个结果深吸一口气，试着喜欢起来。

失败乃成功之母。小时候，大人为了不让我一直沉溺在失败里耿耿于怀，曾这样教给我。但那时我并没有按他们的意愿接受这种说法，而是认真地思考为什么失败是成功之源，如果失败乃成功之母，那它们之间究竟如何关联。

其实，重要的是失败和失误之间的不同。这只是我的一己之见，我认为失败是无意识的产物，没有恶意，也无法避免；失误是有意识的产物，即便没有恶意，也是可以预防的。**从失败中，可以看到希望和未来；从失误上，则能够感受到一种迫切的需要去建立自我反省的意识。在失败这颗种子上，有着不可**

限量的前进的机会，而失误上，怎么也看不到积极面。总的来说，失败，不是应该被责怪的事情。而失误，正是人性的体现，所以我也不讨厌。

日常生活中发生在自己身上的事情、自身行动的结果，应该看成失败，还是失误，这决定着下一步怎么走，也决定着接下来将要看到的风景。遭遇大的失败，采取正确的走法，等待我们的可能是大的成功。大的失误，因为是我们自身的因素造成，所以可以给我们一个重新审视自己的机会，根源可以是自身的大缺点，或是以自我为中心、懈怠、贪婪这样的弱点。

失败绝不是无用的东西，反而可以认为是值得高兴的事。没错，失败就是机会。甚至可以断言，**失败才是万事的开始**。但是我们大部分人，都不去试着看清失败的本质，一失败，就在放弃、停止，抑或在否定声中停滞不前。好不容易迈出了一步，在仅仅得到了一两个不好的反馈时就终止了，这才是真正的可惜，而这样的情况很多。殊不知，**捡拾每日的失败**，灵活利用它们，才会令我们的日常生活、工作和人生得到成长。

道理明白如此，但遭遇失败，就马上事不关己般放任不管，或者抱怨连连、觉得吃了大亏，或者摆出一副什么都通晓了的样子，这样的人很多。他们通常是认为自己很了不起所以不会失败；因为断定自己不会失败所以更加确信自己聪明过人，并且拒人于千里之外。但我却想说，**没有比不失败的成年人更没用的人了**。我们必须有这样的意识，所谓不失败，就等于不做任何挑战。这些人的作为只是模仿他人，或是被旧习，保守而固执的大脑支配，或是总在重复做同样的事情。那样当然不会失败。但是，说出来后我们也可以体味到，在生活、工作甚至人生中，没有比这更懒惰的精神了。**不失败，就等于什么都不做，不失败，就失去了为人的意义。**

成功的反面不是失败，而是什么都不做。我不知道被这样的话语鼓舞了多少次。失败，体现的是勇气，是挑战过的证明。失败很多次，才会学到很多东西，才能获得更大的成功。据我所知，**越是看似意外获得成功的人，越是有着不同寻常次数的失败经历**。有人这样说过，一次成功的背后，隐藏着百次失败。这便是失败乃成功之母这句话的真正含义。当不好的结果出现，应该看成失败，还是失误，我们必须要明白能分辨出这点的重要性。

无论遇到什么困难，都不能做一个害怕失败的胆小鬼。要有那种所有的好事坏事都放马过来吧，我会全部接受的气魄。着手处理时，你会惊奇地发现，越是困难的事，背后隐藏着越多有趣的东西。然后，不知不觉事情就完美解决了。事情简单也好，困难也罢，都不去管它，要做的事情只有一件，那就是，下定决心要做的事情就坚持不懈干下去。一直焦虑着"怎么办啊，这样好吗"，根本前进不了。世上无难事，只怕有心人这话是真的。而且，这种心情越是强烈，造成阻力障碍的人和事物，竟能不可思议地转为自己的伙伴。

我从二十五岁起，一直都坚持写失败笔记。到现在已经积累了十三册。成功的事可以忘记，但是失败不能忘，我带着这种信念长年不倦地写着。有时一段时间过后回看失败笔记，会发现当时认为的失败，其实是个失误。有这样的发现很是愉快。事实上，在失败笔记中掺杂着很多一眼看上去是失败，其实是失误的事。当意识到这点的时候，岂止是脸红，简直像被泼了冰水一样，整个人都青了。但同时，我也有点儿高兴。

总的来说，**作为人类，我们既会失败又容易犯错。看透这一点，知道自己接下来要干什么、考虑什么、改正什么，才是最重要的。**要从很多失败中找到很多失误，必须带着坦诚的心。人总是倾向让自己的行为正当化，然而，想要冷静客观地看待自己，保持坦率的心态比什么都重要。不要忘记，从失败中寻找失误时，也会有失败和失误。**人，是美丽和不美丽的事物并存的生物。正因为如此，如果说失败是一种美，那像失误这样不美的东西存在也是理所当然的事。**

如果能够接受并调和这一切，不管是生活、工作还是人生，都会变得更美、更幸福吧。失败自有失败的真实，失误也有失误的真实所在。我愿把这些作为每天的精神食粮。

失败作为成功的必经阶段，必将长久缠绕在日常生活中，今后的我，也会在失败和失误之间反复来回吧。并想永远保有支持失败的勇气和挑战精神，不丢失那份改正失误的坦率心境。最近，我甚至觉得自己的名字改叫"松浦失败"也不错。

我从中国的历史、中国的贤人那里学到了很多关于人类，关于美学的知识。也可以说，是获得了如宝石般珍贵的种子。将这些种子种下、浇水，用我自己的方法培育成长，最终写成了这本书，所以藉此向中国的读者们致以深深的谢意。

松浦弥太郎

二〇一三年七月

代序

有一天，我突然思考起一件事。

在每天的生活和工作中，究竟是什么东西在推动我们？我们是被什么样的力量所策动呢？有一天，我突然意识到，说不定那是……

说不定那是一种人类全体共通的情感、潜藏在我们内心深处的某种意念——因为我们总是在畏惧着什么。我们人类虽然貌似强悍，但其实每个人都是脆弱的生物。**不管面对他人时再怎么强势，面对自己时却很怯弱，这就是人。**然而，要面对自己的脆弱，接受自己的弱点，是一件很不容易的事。单是要察觉自己的弱点，或许就是一件难事，因为每个人都想把自己的弱点藏起来，都不愿承认它的存在。

那么，我们究竟是在害怕什么呢？我认为那便是"恐惧"和"寂寞"。生活中，我们经常在畏惧这两件事，但是**会感到恐惧的并不只有你一个人，这是生而为人的宿命，也是人活着的证据。**每个人身上都背负着这两种情绪，甚至也可以说，**就是这两种情绪在策动着我们的生活和工作**。

举例来说，我们认真工作的动机可能是贡献社会，可能是提升自己，也可能是希望获得经济上的稳定，但比起这些动机，最根本的原因其实是我们害怕贫穷、害怕被别人比下去、害怕被社会给排挤等各式各样的"恐惧"。

我们总是想买新衣服，想把自己打扮得体面一点，希望自己保持纤瘦苗条，这些都是出自我们不想被别人看轻的"恐惧"。

我们会为了非常时期而囤积物品，会为了让自己更健康而买保健食品。这类行为的动机，恐怕也是源自想象自己"万一发生意外"的"恐惧"。举个例子，不夸张地说，我在想战争之所以会发生，或许……也是"恐惧"在作祟吧。在你"想这么做"的念头背后，也同时存在着"如果无法如愿该怎么办"的"恐惧"。请大家试想一下自己在日常生活中的行动，你一定会发现，有很多情况都是"恐惧"的力量在驱使着自己。万一发生那种事就太可怕了……类似这样的"恐惧"。

另一个力量则是"寂寞"，微博和博客便是最典型的例子。你之所以时时想与某人保持联系，便是因为你想要忘却自己的寂寞感。恋爱、结婚、交友、加入小团体、找人聊天、写信；或是借由什么事来表现自己、主动发消息……**这些行动其实全都是源自于你心中的"寂寞"。**

特别是在人际关系的事情上，"恐惧"和"寂寞"这两种感受或许便是所有行动和思想背后的动机吧。遗憾的是，就连日常生活中的大小犯罪，很可能也是因为这两种恐吓人们的情绪在作祟。

或许有人会觉得不以为然。但就如同我先前提到的，人都是脆弱的，我们都不乐于见到失去任何东西。

重要的是，我们得去接受自己并不强大、自己很脆弱的事实，并且明白想逃避"恐惧"和"寂寞"是不可能的事。你愈想逃，这两种情绪愈容易紧紧跟随你。"恐惧"和"寂寞"只会更加困扰你。

那么，在每天的生活中，我们又该如何面对这两种威吓自己的情绪呢？请放心吧，这并不是太难。首先，你绝不能逃避，要坦然接受。你得去承认那些潜藏在自己心中的"恐惧"和"寂寞"。更进一步地说，你只要和这两种感觉当朋友就行了，就把它们想作是理所当然会出现的情绪吧。

本书的内容都是能够帮助你与"恐惧"和"寂寞"交朋友的一些思考方向与想法，以及一些与它们和平共处的方法。这些小秘诀可以帮助你认知到，如果你想活出自己的本色，你就得像朋友一样去爱这两种感受。如果能和"恐惧"和"寂寞"建立较为良好的关系，你的心便能时时保持平静。渐渐地，你不会再苛责自己，也能够宽恕他人，这想必会成为你迈向幸福的一小步。

请秉持诚实的态度去面对自己心中那些尽可能不想承认、不想去面对、只想蒙蔽过去……乍看之下倾向负面的"恐惧"和"寂寞"吧。你可以由此了解自己的弱点，也能因此原谅自己。这么一来，你紧绷的身体便能放松下来，一定会变得轻松许多。然后，好好地珍爱这两种感受吧。因为你愈爱它们，"恐惧"和"寂寞"愈能成为足以守护你的强大力量。

为了帮助读者更容易理解，在本书中我会把"恐惧"一词以"不安"来替代。这点还请大家理解。

松浦弥太郎
二〇一一年十二月

本书的使用方法

这本书是为了那些心中怀抱着"不安"与"寂寞"的朋友所写的。

我希望自己有直视心中的"不安"与"寂寞"的勇气，并且具有去拥抱它们、珍爱它们的坚强。我这么期许自己，写下了这本书。

在你觉得焦虑不安、想要寻求答案的时候，不要往外面的世界走，我希望大家能把这本书当作工具，转而凝视你自己的内心。

在每篇文章的最后，会以插画的形式来呈现那篇文章想传达的重点。每一则都是简单又实用的练习，请大家放松心情，务必挑战看看。此外，在每一章的最后，我也会提供一些可供实践的课题，当作是该章的总结。虽然和每篇文章后面的练习相比略难一些，但相对地，效果也更强大。

希望大家能把这本书当作人生的医药箱，备在身边，使用它。如果能对各位有所帮助，没有比这更令我高兴的事了。

目 录

第四章

**去爱
那"两件事"**

第一章

去凝视
那"两件事"

01　给
对将来感到不安
的你

去旅行的时候，有些人的行李总是多得惊人。

尽管为雨天准备了折伞，为应付连伞都撑不住的暴风雨准备了雨衣，还带了适合徒步的鞋子和去饭店时要穿的皮鞋，但倘若碰到倾盆大雨的日子，恐怕还需要一双长靴吧？

随着想象无穷无尽地扩散，行李也愈带愈多。

但那些想象大都不是什么欢乐的场面。

"要是碰上这种情况，很不方便啊。"

"要是发生这种事，实在讨厌啊。"

他们大都是在想象自己并不乐于见到的未来。

如果只是去旅行，那不管是去国外或国内，顶多就是在旅行期间提着沉重的行李；但如果走的是人生的旅程，那问题可就严重了。

心灵的行李没有形体，包包并不会因此变重。但相反地，心灵的行李会逐日增重，渐渐重压在自己身上。

"如果遇到这种情况，我该如何是好？"

对未来的不安是个棘手的问题，情况不仅会加速恶化，也不会有刹车。

而且和旅行的行李不同，不像"我担心可能下雨，得准备雨伞和长靴"这种程度的问题，因而无法采取简单直接的对策。

但这也是理所当然的，毕竟"未来"可比"国外旅行"覆盖面更广，可能发生的状况更是五花八门。

如果放任不管，心中的不安会渐渐膨胀，一旦生出"我已经走投无路、无计可施"的念头，人很可能就会一屁股坐在地上，一蹶不振了。

人生的旅途无法打包周全，不能保证"准确、安全、万事俱备"，因此有些时候，我们甚至可能会想放弃旅行。

换句话说，如果你一味想着"如果遇到这种情况，该如何是好"，任由不安继续膨胀下去，你很可能会落得一个人枯坐原地的下场。

一旦你这么做，孤独感便会宛如迷雾般升起，使你陷入愈发看不见前方道路的窘境。

我觉得那些受困于"对将来的不安和寂寞"的人，对未来往往有"想太多"的毛病。

"我这么做，明天不会有问题吧？"

"如果再这样下去，明年该不会搞砸吧？"

"我的将来会何去何从呢？"

如果你也有同样的困扰，我有一个建议，你何不试着换一种思维方式呢？

那就是——只去看那些此时此刻在眼前发生的事，只处理眼前的问题。

不是把焦点放在明天或后天，也不是明年或十年后，而是把精神集中在"现在"这一刻。

假使，你已经预测到未来"可能会发生那样的情况"，在事情实际发生前，何不把那些预想都忘掉呢？

只要以这种态度定下基本的思维方式，我想"不安的未来"也将会离你愈来愈远。

事实上，那些无法抛开"对将来的不安和寂寞"的人，往往是因为不想去面对"此时此刻在眼前发生的问题"，因此选择了逃避。

就和那些想从眼前的作业逃开的小孩子一样，因为不想写暑假作业，开始在想："现在念的这些功课长大以后对我会有帮助吗？有什么意义呢？"

我的意思并不是那些无法抛开"对将来的不安和寂寞"的人像小孩子一般愚笨，而是我们之间大部分的人都会产生想从"此时此刻在眼前发生的问题"逃开的念头，因为人类本就是种软弱的生物。

"干这行没有前途，我明年还是去考张证照吧？"

"和这个人交往我看不见未来，我再去找其他对象吧？"

像这类"对将来的不安和寂寞",想必曾经掠过每一个人的心头。

把注意力放在"现在",不去逃避。一旦下定决心，你就会明白自己该做什么事。

按照顺序，一件一件地用心去处理好眼前发生的问题，这才是你该做的事。只要这么做，你心中的不安便不会再任意膨胀，只因你采取了具体的行动。

其实，单是察觉到你未来可能会发生麻烦的问题这一点，就算你什么都没做，你的大脑也会开始在无意识中酝酿对策。虽然乍看之下"搞定现在"和解决未来的问题并无关系，但在解决现在的问题时，我想对你处理未来的难题也一定有所帮助。

不要从眼前的问题逃开，不要试图蒙混、转移焦点——只要你具备了这种坚强，你对未来的不安和寂寞想必也会烟消云散。

只专注于"此时此刻在眼前发生的问题"吧。

02　给
　　没有自信
　　的你

想知道自己的长相，最好的做法明明是仔细盯着镜子看，但你是否经常会选择拿其他人的脸来和自己比较？那人的睫毛比较长，眼睛又大又亮，嘴唇红润饱满，鼻梁又挺又高，皮肤滑滑嫩嫩。

"和对方比起来，我实在是……"

如果采用这种做法，你只会知道"和那人相比之下的自己"，看不见自己真实的模样。

或许其实你们的睫毛长度相当，但因为你一直盯着别人的睫毛看，以致没有发现这件事；明亮的眼睛和饱满的红唇并不具有绝对价值，但因为你关上了自己的心门，以致认不清这一点；也许对方鼻梁高挺，肌肤滑嫩，但你有一头美丽的秀发，只因你一直看着其他的地方，所以漏看了自己的光彩。

如果想知道自己的能力，最好的做法明明是自己努力去尝试，但你是否经常会选择拿别人来和自己比较呢？那个人工作能干，点子很多，大家都喜欢他。他人脉很广，运气很好，做事又懂得要领。

"和他比起来，我实在是……"

如果采取这种心态，你永远无法专心在自己的工作上。如果你因为在意"那个人"而做事心不在焉，自然不会有什么好表现。而如果你把同样的精力用来思考，或许你也能想出许多新点子，但你却不去付出那样的努力。

"大家都喜欢他，真是羡慕啊。"但没什么人会想和嫉妒心强的人来往，因此是你自己破坏了人际关系。

再说，那些在旁人眼里看来"运气很好，做事懂得要领"的人，往往不会让别人看见自己拼死努力的模样。

那些心中揣着"被别人比下去的不安和寂寞"心结的人，其实是在要求自己身上没有的东西。换个角度想，他们可说是一群很任性的人。

为什么？因为无论是外在或内在，我们每个人拥有的特质都不尽相同。别人有的东西，你或许没有，但你拥有的东西，别人也未必有。

想要别人碗里的东西，是人类的天性。"和大家一样"便能感到安心的心理，谁都有过。如果别人有玩具，自己也想要玩具；因为大家都穿那种衣服，所以自己也要穿；为了不输给对方，自己也要念同样规格的学校……等到长大成人，有人便开始会想："因为朋友买了房子，我也要买。"

可是，你无法事事都"和大家一样"。就算你拥有了和你羡慕的那个人一模一样的脸蛋，不久你又会开始想要"另一个人"的脸。

"别人手里的东西，我永远得不到。"
只要接受这个事实，你便会开始看见自己拥有的宝物。

请试着把你自己的特质，想成是"神明赐予的水果"。规则是神明只会给你一种水果，只有你能把那种水果拿在手上。

你被分配到的是苹果。你的苹果很结实，红得发亮，一口咬下去，果汁四溢，是种非常美好的水果，还散发出清新的香气。但你却可能羡慕别人："我只有一个苹果，那人手上的果实却有那么多。"

确实，你的朋友手上握有许多果实。但对方手中握着的是为数众多的覆盆子，一颗果实就只有指尖大小。虽然覆盆子质地柔软，宛如红宝石般迷人，吃进嘴里酸酸甜甜，是一种很美好的水果，但你的朋友心里或许会想，"我只有小小的覆盆子，那人拿到的却是硕大的苹果，我真羡慕啊"。

神明的规则是希望你能珍惜地品尝自己被分派到的水果，但如果你抱着"好想吃覆盆子"的心情咬下苹果，你就感受不到苹果难得的美味。如果你抱着"真想要苹果"的念头，一把紧握手中的覆盆子，柔软的果实可能就被你给捏烂了。

别人和自己明明不可能完全相同，你却为了自己没有的东西而烦恼，这只会让自己白白受苦。神明赐给你的果实和他赐给别人的果实是绝对无法替换的，因此细细品尝属于自己的果实，才是最好的做法。

"我没法像他那样，我是不是没救了……"

我认为像这样的烦恼是在浪费生命。

多放一点关注在自己身上吧。不要和别人比较，专注找出你拥有的特质吧。当你在自己身上看出价值，你才会开始欣赏自己。

而美好的事还不止这一件。

当你发现自己手上苹果的价值，你便会萌生"苹果如此美味，真想让别人也尝一尝"的想法。神明赐予的水果虽然不能与人交换，但是却可以分享给别人。

拥有苹果的人察觉到苹果的美好，将苹果分享给其他人；拥有覆盆子的人察觉到覆盆子的美好，将覆盆子分享给其他人。我觉得这样的世界，要比大家都拿着相同水果的世界丰富多了。

去思考自己的优点是什么，并且好好珍惜。

试着去想一想，

你的优点是否能帮上谁的忙呢？

03 给
需要别人肯定
的你

"我都这么努力了，却还是受不到肯定。"

你的心中是否也怀抱着"不被别人肯定的不安和寂寞"呢？

就算付出努力也得不到赞美。我在做的事，根本就没有人在意。我的能力并没有受到肯定。

这些是经常在各个职场上听见的抱怨。

如果你也觉得自己没有受到肯定，请先想一想：我究竟想要别人肯定自己的什么地方呢？

"希望大家肯定我"，这句话在工作的场合是禁忌。

希望别人肯定你这个人，和希望在工作上受到肯定，这是两码事。

如果你希望别人认同你的工作表现，你必须先做出实绩。尽管严苛，但这就是职场的游戏规则。

"虽然我还没有做出成绩，但我在别人看不见的地方一直付出着努力。我抱着这样的想法，一直在加油。"

如果有下属对我说这种话，我的回答一律是：

"你在别人看不见的地方努力，是一件很棒的事，这点我肯定你，但我无法把这点当作对你在工作上的评价。"

如果有下属不满我的回答，我大概会这么回应：

"你是希望我认可你这个人吗？肯定你在别人看不见的地方努力，算是对你这个人的评价对吧？可是，你在进这家公司工作的同时，就代表你已经受到了认可啊。"

公司不会雇用他们不认可的员工。公司一定是认为有付薪水给你的价值，才会聘请你。

"如果公司不肯定我，我现在就不会出现在这里。"

只要你这么想，你心中"不被别人肯定的不安和寂寞"想必就能得到安抚。

在工作场合，不要期待别人肯定你的人品。不管你是男性或女性，最好都将这一点谨记在心。

因为是否会受到赏识的基准，会依每家公司的情况而异。

在某些公司，对清楚表明自己意见、数学能力强的人评价较高；但在另一些公司，他们可能比较赏识做事细心、具协调能力的员工。根据各部门、各部门主管的不同，评价的基准也会改变。如果你把自己的价值交由公司判定，只会平添你心中的不安和寂寞。

工作场合以外也是一样，在看待别人对你的评价之前，有些事你最好先知道。

在接受他人评价的时候，不可能会有"百分之百受到肯定"的情况。评价一定有"圈"也有"叉"。"人的这一点很优秀，但在那些事上头就有点……"，这样的情况才是理所当然的结果。

假使在一百个人里，有五十个人像你的粉丝般无条件地肯定你，那剩下的五十人很可能就完全不认同你。我认为这才合乎人世间的均衡。

至于处在"不被别人肯定的不安和寂寞"的延长线上的，则是"无法升迁的不安和寂寞"。在现在的时代，女性也要像男性一样工作，因此不问男女，许多人都对升迁有所期待。这样的期待并不是坏事。

以下纯粹是我主观的意见，我认为，如果你选择进入公司工作，成为上班族，那你应该把成为那家公司的社长当作自己的梦想。如果你喜欢那家公司，想为其卖命，你以高层的职位为目标自然再合理不过。

虽然有些人是想靠升迁赚钱，想借此获得权力，取得社会地位和信用，我也并不认为他们有错。因为确实有人把这些事当作目标，把金钱和权力当作自己的动力。

重要的是，那是不是你自己心中所期待的升迁？

你是否拿自己和别人比较，心想"我想爬到那个人头上""我想比一般人更有权有势"，你是否只是想与人竞争呢？

我年轻的时候也曾拿同年纪的人和自己比较，心想"那人的表现比我活跃，事业成功"。

但这种想法便是一种竞争，是通过踹落对方为自己谋利的行为。不是凭自己的力量爬上自己想登上的山头，而是踩着别人的头来到高处，我觉得这是一种不妥当的做法。

当你感受到"不被别人肯定的不安和寂寞"时，不妨切换一下你脑中的开关吧。不要把焦点放在别人身上，请转而注视自己，自问：

"我是否有赏识的人呢？"

如果在我的下属之中，有人抱着"希望大家更肯定我"的期待，我会问他们：

"在你的同事之中，是否有你赏识的人呢？"

我想那些人恐怕会穷于回答吧。

无法喜欢自己的人，同样也无法喜欢别人。无论是在公司或私人的小团体，那些受到大家肯定的人，往往也对很多人予以肯定。

我有几个很尊敬的人，他们无论是在人品或工作成绩上都受到高度评价，尽管那些人那么厉害，他们依然经常仔细观察别人，称赞他人的优点，肯定其他人的表现。

"这人的这一点很优秀。"

"那人虽然不起眼，但是他曾经成功地完成那件事。"

看着他们，我深深体会到：如果自己肯定别人，别人也会肯定你。人与人之间的相互评价与此相通。

请先试着问问自己，如果你无法立刻说出几个自己赏识的人的名字，就先从肯定别人开始做起吧。

"我们公司里没有值得我尊敬的人。"

"那个人成就了得，但他只不过是运气好罢了。"

如果你总是像这样嫌弃周围的人，看轻别人，你的态度会使自己变成一个别人无法肯定的人。中伤别人的行为，是对自己没有自信的证据。这也就是说，就连你本人都不肯定你自己。

此外，"肯定自己的人是同伴，否定自己的人就是敌人"这种想法，你应该毅然决然地抛开。

因为就如同前文所述，别人对你的评价不会是一面倒的非黑即白。

心中感受到"无法升迁的不安和寂寞"的人，不妨也切换一下脑中的开关，自问：

"我能为这家公司做什么呢？"

如果你期待升迁，希望拿到高薪、获得地位，首先，你得先为公司带来益处，做出贡献。

要做到公司上下都众口同声地说"你为公司带来这么多贡献，希望由你来当社长"的地步。

如果你只是抱着"我很努力，我比别人多付出三倍"的心态，这并不能为别人带来益处，只是你个人的问题。请优先为别人付出吧。

总而言之，勤勉、严于律己地生活，做好自己眼前的工作，建立你的人际关系，便是治愈"不被别人肯定的不安和寂寞"最好的良药。

你是否有赏识的人呢？

请试着列出那些人的名字吧。

04 给
想要朋友
的你

"如果你想要伙伴，就去制造一个敌人。"

当我一个人独立工作时，我父亲这么对我说。

他虽然没有仔细说明，但我把他的话解释为"要清楚表明自己的意见"。虽然没有必要主动去制造敌人，但不可以因为害怕制造敌人而摆出暧昧的态度。

对那些心中揣着"没有朋友的不安和寂寞"的人，我想送给他们同一句话。

"如果你想要伙伴，就去制造一个敌人。"

当然，你也得遵守礼节、社交规矩，将心比心。但只要做到这几点了，你就无需理会别人的看法，尽管坦率地表现自己。

当有机会和某人自由对话，我们总习惯在对方身上找寻"和自己相同的地方"。

"你喜欢那部电影吗？我也是呢。"

"假日就该出门，我也经常四处走走。"

"让身体动一动，感觉很舒服对不对？"

不管是否有把自己的意见说出来，在对话的过程中，每个人都会在心中不自觉地对对方的发言高举"赞成"或"反对"的小旗子。虽然为彼此举起"赞成"的小旗子，是交朋友的过程中不可或缺的要素，但是如果过程中双方都没有表明自己的意见——"我经常做○○""我喜欢○○"，友谊便无法成立。

听到有人说喜欢看电影，便附和地说"我也是"，就算实际上并不喜欢，也不会有所表示，只是暧昧地笑着说："是吗？原来你喜欢看电影啊。"另一方面，自己绝不主动表明态度，不告诉对方自己"喜欢○○，不喜欢○○"。

你是否也会摆出这样的态度呢？

虽然你对任何人都表示肯定，笑颜以待，但其实你并没有敞开心扉，自然你会交不到朋友。

你可能会被当成"八面玲珑的人",或是"不知道葫芦里在卖什么药的人",以致朋友自然而然开始疏远你。

你不必过度害怕表明自己的意见。毕竟仅仅是从"过红绿灯"这件事便能看出每个人的性格。有人会想"灯已经在闪了,我才不想跑着过马路",但也有人认为"脚步快一点,动作麻利一点,正好赶上才好"。只要你一息尚存,就算你一句话都不说,也会有百分之几的人对你做出"讨厌"的评价。所以,千万不可以为了减少讨厌自己的人,因此失去更多会对你说"喜欢"的人。

"如果说出这种话,搞不好会被讨厌。"

你愈是害怕与众不同、担心被排挤,你便愈是不容易交到朋友。被讨厌或被喜欢就像一枚硬币的正反面,正因有人讨厌你,所以才有人喜欢你;有人喜欢你,所以才有人讨厌你。我认为大家最好先知晓这个处世准则。

我试过分析自己的情况,觉得自己的经历恰好也符合这个准则。

我写文章、经营书店,有人会对我说"你真棒,我喜欢",但也有人会说"我最讨厌那个松浦,我瞧不起他"。我把这些都看作是理所当然的反应。

如果身边的全是赞扬自己的人,反倒会令我毛骨悚然。我会开始害怕,觉得自己正在做的事没有任何人在意,自己的想法完全没有传达到其他人心里。

诚实表明自己的意见,和嚷着"我讨厌那种事,不喜欢这种事",把自己的好恶和癖好强加在别人身上不同。如果你很想要朋友,为了让对方理解你的价值观,说出真心话是件很重要的事。

"我很珍惜这样的事。"

"我想把自己的时间用在这样的事情上。"

我在前面提过,人是由共通点来联系彼此,但共通点也有许多层面。在童年的时候,朋友可能是靠"家住得近"这个共通点,或是以"在同一个班上"这个共通点来连接,但如果是成人的友谊,我希望自己是以心灵层面的共通点来维系关系。

我曾听说有一些女性会因为"有没有孩子"或"有没有工作"等共通点来缔结友谊,但我很怀疑那样的关系真的算得上是朋友吗?

物理上的条件或生活环境会随着时间改变。而且，我觉得那样的关系是种松散的连接，只要发生一点小纠纷就可能瓦解。搞不好意见一旦出现分歧，局势便会像黑白棋一样瞬间翻盘，对方就会从伙伴变成敌人。

相反地，如果是通过彼此的价值观找到共通点的朋友，就算碰到意见相左的情况，也能就事件展开议论，"你说得不对""这次错的人是你"，并且一同成长，"噢，我懂你为什么会有这种想法""谢谢你教会我这件事"。做不到这一点的朋友，或许根本就算不上是朋友。

现在是社交网络盛行的时代，但正因如此，我更加觉得交朋友应该要走出家门。不是使用电子邮件，不是透过电话，而是直接与人见面，面带笑容地打招呼，注视着彼此的眼睛说话。直接与对方见面，才是交朋友的大原则。

交朋友的力量，也是一种生存的力量。

不畏不惧，去制造你的敌人吧。秉持诚实的勇气，去找到你的伙伴吧。

与人见面的时候，

试着把自己喜欢的东西和讨厌的事物告诉对方吧。

你也可以主动询问对方："这件事情你怎么看？"

05 给
戒不掉快乐
的你

开心的事情很可怕。令自己舒服的事情很可怕。

愈是令自己开心的事情，愈是令自己舒服的事情，同时也伴随着同等的可怕。

或许有人会觉得"快乐"这两个字用得太夸张，但是自己做了开心的事，做起来舒服的事，我想全都可以称作快乐。那些让你忘记自身处境、全心投入的休闲活动，令你兴奋痛快、难以释手的嗜好品，我认为全都是为了快乐而存在。

赌博、毒品、酒精或香烟，全都属于这种范畴，但有些快乐更贴近你我的生活。

睡觉。玩乐。吃东西。

购物。计算机或手机。与性相关的活动。

电玩或漫画。电视，又或者是书本。

可以让我们逃避现实的"工具"不胜枚举。

人类是软弱的生物，容易往轻松的方向走，我有时也会忍不住去追求快乐。不管是谁，都会为自己的生活添加一些快乐的事；有些时候，甚至会碰到一些不暂时逃避现实就走不下去的困境。

但倘若你放任自己的快乐膨胀，被快乐支配，问题就会随之出现。

当用来排遣寂寞、应是浅尝辄止的快乐，变成你时时不可或缺的存在时，情况便危险了。

明知这么做不行，自己也感到可怕，身体却已经不听使唤。

"别再做了，我想停手了。"

尽管心里这么明白，但就像呼吸、喝水一样，脑子想停，身体却停不下来。

"如果失去这快乐，我该怎么办？"

有时候，人也会被这类不安和寂寞给侵扰。

如果以为这种情况只会发生在赌徒或吸毒者身上，你或许会觉得事不关己，但那些手机不离身、不经常检查电子邮件就会惶惶不安的人，其实同样也是被快乐给支配了。

被以为是在享受的快乐给支配，这种情况就像是你以为自己是在疼爱一只小猫咪，但小猫咪却在不知不觉间长成可怕的老虎，等你回过神来，才发现自己差点就被吃了。

疼爱小猫的人，是自己。

给了过多的饵料、把小猫咪养成大老虎的人，也是自己。

小猫并不是想变大就变大，自己长成老虎的。是你自己把小猫给养成了老虎。

为了不被快乐给支配，你得明确地知道自己追求这种快乐的理由。

什么是你的痛苦？

是什么令你感到空虚？

你为什么会悲伤？

你心中无法填满的感觉，是从何而生的？

要摸清根源,你必须面对自己。不是从书里寻求解答,也不是去向他人请教,而是要去好好地正视自己的内心。

只要你这么做,你便能自"再来一点、再多一点"这种过度追求快乐的状态中解放。你会以"喜悦"的心情面对快乐,抱着想说"谢谢"的感恩的心。只需要一点点的快乐便能够满足你,让你觉得"已经够了,我很心满意足"。

如此一来,巨大的老虎又会变回蜷在你脚边的小猫咪,你又能继续好好地疼爱它。

面对自己是一件看似简单,实则异常艰难的事情。

如果你对冥想法有些了解,可以试着冥想。或者你也可以面对一堵白墙,这也不失为一个做法。

凝视自己的手心,则是我自己尝试过后觉得效果不错的方法。

手心最贴近自己的内在。每一天,至少空出一段独处的时间仔细凝视自己的手心吧。如果可能的话,时间最好是一小时。

刚开始你或许会觉得一头雾水。要你什么事都不做，一直盯着自己的手心，甚至可能像一种折磨。你只能发着呆等一小时过去。

但迟早有一天，你将会从手心看见自己的心。

痛苦、空虚、悲伤、无法被填满的感受。

然后，不可思议地，你会感到安心。因为你知道，"我只要改正这一点就行了"。就像当你因为腹部一带隐隐作痛而去就医，一路上会忐忑不安，但是经过医生诊断，知道原因是"轻微的胃炎"后，你便会放下心来。

你也会自然了解到一个道理——痛苦时需要的是药品和休息，而快乐是精神好的时候才能享受的事情。

只要不对快乐产生依存，"失去快乐的不安和寂寞"也会渐渐远离你。

请仔细凝视自己的手心。
说不定，你能因此发现自己的问题。

本章总结课题

自己软弱的地方和坚强的地方，自己怀中揣着的不安和寂寞的真面目。

如果你想知道答案，你就得去面对自己。

"我自己的事，我再清楚不过了"，但这往往只是人的自以为是。

我们每天的生活充满了外来的刺激和他人的影响，很少有时间能够静静地沉浸在自己的世界。

但只要你花时间面对自己的心，每一次你都会有新发现。

我给各位的建议是——一个人去旅行。

旅行很容易便能达成，你也能因此了解到自己软弱的地方、坚强的地方，擅长的事情以及不拿手的事。

如果是一个人的旅行，效果更是明显。

一个人去旅行吧。

目的地选在自己陌生的城市、语言不通的国度是最理想的。

第二章

去接受
那"两件事"

01 给
害怕失败
的你

因为害怕失败，所以裹足不前。在开始一件事之前，总是忍不住进行"事情发展不顺利时的模拟想象"。

如果遇到这种情况，我首先会想一件事。

"如果不做这件事，情况会如何发展？"

不管是要开始一个新的工作，或是日常生活、人际关系的问题，每当我迟迟无法踏出第一步，我总会问自己这个问题。如果想思考得更深入，我会自问："不做这件事的不利点是什么？"

而我的答案很少会是"做与不做都一样"。

"啊，如果不做，事情就会变得很麻烦。"

"不做这件事，就无法善尽我的工作职责。"

"不做这件事，我就会失信于人。"

大抵的情况是，只要想到愈多"不做这件事的不利点"，心中便会渐渐涌现"好，那我就干吧！"的决心。

倘若事情进行以后，心中"对失败的不安和寂寞"依然无法完全消去，像这种时候，我会去回想某两本书教会我的事。

第一本书是辰巳芳子小姐的《庭园时间》。

作为料理专家的辰巳小姐，让我见识到了构成饮食生活基础的家常料理的力量。她在这本书里记述了自宅的庭园、餐点和四季的生活，并提及一个很棒的道理。

"先下手为强，确认工序，万事俱备，仔细作业。"

针对制作梅干等腌渍食品的准备工作，辰巳小姐举出了四个要点。而我认为这个原则可以应用在所有的事情上。

行动时要先下手为强，时时留意不要被动。事情进行的计划，要自己审慎订立。工作程序也要谨慎确认。

在做某件事之前，首先，我会进行一番扎实的调查，并试着思考各种可能性。

在调查的过程中，你会渐渐对那件事产生概念，一旦有了概念，像"如果失败了该怎么办？"这类模糊的不安便会逐渐淡去。

接下来，你只须全神贯注地仔细去完成你的计划。把花在"对失败的不安和寂寞"上头的无谓心力，转而用来细腻地执行作业。

第二本书则是《正反人生录》。

作家色川武大以《可疑的访客纪录本》、《狂人日记》等作品闻名于世。其中他以赌博为题材创作的《麻将流浪记》系列，则是以笔名阿佐田哲也发表。这个笔名的由来也广为人知，是来自一句他的谐音双关语——身为赌徒的他曾说："我打着麻将，回过神时天都亮了，心里不禁念道，'都早上了，又摸了个通宵'[1]。"

---

1. "阿佐田哲也"与"都早上了，又摸了个通宵（朝だ、徹夜してしまった）"的日文发音近似。

在《正反人生录》一书中，色川武大有句谈及人生的佳句。

"八胜七败，再好不过。九胜六败，理想人生。在一生结束的时候，大抵都是五五之数吧。"

在十五场比赛之中，倘若取得八胜七败的成绩，就算领先。就长远来看，这样的胜率最为恰好。在同一本书里，他也写到"压倒性的胜利，会在另一场比赛招致压倒性的失败"，意思就是倘若你在一场比赛里大获全胜，你一定会在其他的十四场比赛里付出高昂代价。或许是过头的胜利狂热有时也会烫伤人吧。

特别是与工作有关的事，我会采取这样的思考逻辑。譬如说，在手上的十五个项目里头，我会想，只要其中有八个项目能顺利依照自己的预想进行，剩下的七个专案就算失败了也没关系。

无法百战百胜的人不够亮眼，当不成明星。但就结果来看，这样的角色定位或许更能做好自己吧。

我所想出来的另一个与失败交朋友的方法是——预先想象最坏的状况。有时就算抢先一步，拟订计划，万事准备妥当，仍会遭遇惨痛失败。因此，最好事先思考："我最不乐见的情况是什么？"

这个方法与使心中的不安和寂寞大幅增长的失控的想象力不同，你必须极度保持冷静，就像化身成自己的咨询顾问，试着列举"最坏的状况之一是……"。

在原地焦虑，或是冷静地列举出自己"最不乐见的事态发展"，这两种行为的决定性差异在于想法具体的程度。

"总觉得事情不会顺利进行啊……"，这种想法是纯粹对失败感到不安，但"○○是导火线，可能会引发○○，结果会造成○○"，这种思考逻辑则是去预测最坏的状况。由于"○○"的部分已经具体想定，万一事情真的发生，你还有机会一举反败为胜，就算最后无法如愿，你也能在这件事上收获经验。

我想提醒各位的是，绝不要输给"对失败的不安和寂寞"，因而不去行动。

希望这点各位能谨记在心。

去思考"如果不做这件事，事情会如何发展？"，
跨出你的第一步吧。

02 给
胆小
的你

那里是你有生以来初次造访的地方。

你手上既没有地图,也没有结伴同行的搭档,举目望去,不见一个可以为你指引方向的对象,你也找不到标志牌。但你有一个无论如何都想抵达的目的地。

碰到这种彷徨失措的时候,如果是我,我会选择迈出脚步。

虽然不知道该以南为目标,还是该朝北方前进,我仍会胡乱猜个方向,出发往南,如果发现弄错了,就再转向往北走。爬坡的路段走得辛苦了, 就绕道而行,如果怎么绕都还是坡道,就硬着头皮爬上去。

不管怎么走,怎么绕,就是迟迟无法抵达目的地。

像这种时候,人大抵都会不安。

走着走着太阳下山了,月光也很暗淡,有时还会碰上看不见星星的暗夜,气温也渐渐下降。

因为自己孤身一人，不免会感到胆怯，觉得寂寞。肚子又饿，精疲力竭。这种时候，不安会在你的耳边低语：

"绕了这么多冤枉路，自己该不会是在白费力气？"

"在这种地方走得这么辛苦，搞不好我根本就弄错了方向？"

"我选的这条路，或许根本无法通往我要去的地方。"

因此，聪明的人或许不会像我那样蒙头乱闯。

如果要去第一次造访的地方，在出发之前他们会先找人问路，或者去图书馆借地图来查阅。更简单的方法是，拿出随时都放在口袋里的智能手机，上网检索。

在跨出脚步之前，他们总想再一次确认自己规划妥当的路线，做好调查，向人打听。有许多聪明人一直要等到心中所有的不安因子都消除之后，才会上路出发。

他们为什么要这么做？因为他们想消除"不知是否会成功的不安和寂寞"。

"没问题，请安心。只要走这条路，你绝对能抵达目的地。你需要的时间是〇小时。"

他们想得到这样的信息，不会迷路，心中没有不安，期待能以最短距离抵达自己想去的地方。

只不过遗憾的是，倘若你"想抵达的地方"是指工作、人际关系或自己的目标之类的事情，你就没办法利用网络的地图检索功能来查询了。说起来，这种事情根本就没有所谓的路径或地图。

就算请教别人，你也得不到正确答案。谁也不能向你保证"你绝对能抵达你的目的地"。无论你如何去思考深究，仍旧无法参透答案。

我认为，首先，你得认清并接受一个残酷的事实——无论你有多聪明，终究会有你不懂的事。

承认自己有不懂的事，抛开自己的聪明才智，你便会得到迈出脚步的勇气。

但即便你踏出第一步，依然不能保证你能够抵达成功的彼岸。只不过，如果你不迈出脚步，你就无法抵达任何地方。如果你不行动，事情便无法开始。

并且，只要开始行动，你绝对会有新发现。因为迈开脚步后，你便看得见接下来要走的路，或是因此认清自己走错了路。一步又一步地往前走，你便能找到自己的下一步。

反复的行动与发现。

或许这才是抵达自己梦想之地的唯一方法吧。

"事情能顺利吗？"

"我能成功吗？"

如果你也被这种不安和寂寞所羁绊，那是你这个人很聪明又深谋远虑的证据。只不过，那同时也是你裹足不前的证据。

总之一句话，如果你想消除这种"担心自己不会成功的不安和寂寞"，行动就是了。

既然你也察觉到这种情况没有地图可用，那就尽早死心吧。你不需要具体的设计图，没有行程表也没关系。

只要你行动，你的脑中自然会开始浮现计划，脚踏实地的感觉也会带给你自信，这么一来，你心中"担心自己不会成功的不安和寂寞"想必也能渐渐缓和下来。

不管是工作或在其他事情上，在我遇见的人之中，会令我觉得"好厉害！"的那些人大抵都是行事冲动的人。他们拥有比任何人都早一步行动的果断和勇气。

如果你在得出"这么做一定会成功"的结论之前，总是花很长时间在原地思考评估，被不安所牵制，因而动弹不得，久而久之这种行为模式就会变成你的习惯，愈发束缚你的行动。

我见过很多可怜的人就是因为被这种习惯绊住双腿，使他们拥有的难得才华与聪明才智因而蒙尘。

所以，请跨出你的脚步吧。

去踏出你的第一步。

有很多时候，勇气不是从你的脑袋里生出，而是从你的脚下涌现的。

如果有根圆木倒在一步之外，
你只要跨过去就行了。

03 　给
害怕孤独
的你

十几岁去美国流浪的时候,有很长一段时间,我都是窝在廉价旅社的破房间里。明明我前往异国是为了获得自由,却搞得连出门都兴致索然,原因是——我不愿承认自己的孤独。

走到大街上,我看见有人和家人同行,有人则是和朋友走在一起;有情侣,也有看似同事的组合。在他们之中,就只有我是一个人。

我尽可能让自己变成个有趣的人,但我却交不到朋友。

毕竟我连语言都不通,别说是朋友了,就连说话的对象都没有。

走路是一个人,看电影也是一个人,想去餐厅简单吃点东西,也是一个人。不,准确地说,我根本没办法去餐厅。

并不是因为没钱,事实上我找到了价钱不贵、食物看起来很美味的餐厅,但是从窗口望了一眼后,我羞耻得根本不敢进去。

因为所有的客人都和同伴坐在一起，和乐融融地用餐。难道连话都讲不好的自己要一个人孤零零地坐在店内埋头吃饭？那样实在太悲惨了。

我进门的兴致顿时委靡，双腿发软，心想与其那样，还不如待在旅社脏乱的房间里啃洋芋片。

当时我整个人都沉浸在"对孤独的不安和寂寞"里头。

在长大成人的某个阶段，我们会强烈地感受到"对孤独的不安和寂寞"。

就算有家人、朋友或恋人在身边，还是感觉自己孤单一人，因而畏惧不已。

觉得没有人了解自己，一种疏离感充斥心头。

有人会在离乡背井到都市念大学的时候，或是初出社会的时候，品尝到这种滋味。一直以来，家人、朋友随时都在身边关心自己，时不时会有人找自己说话，但就在某个时期，这一切突然断绝了。

没人打电话给自己，甚至连电子邮件都收不到。在那种时候，人便会有所认知：除非自己主动打电话，主动发电子邮件，主动打招呼、与人见面，否则自己一直都会是孤独的。

意识到这一点，或许就代表你已脱下童年时代的救生圈，开始独立。我认为能接受人是孤独的事实，便是长大成人的标志。

在美国孑然一身的我在就要被"对孤独的不安和寂寞"给压垮的前一刻，硬着头皮把孤单又丢人的自己送到人前，用不擅长的外语开始找人说话。

从那时起我与不同的人有了邂逅，也交到了朋友。

"正因为你是孤独的，你才能与人相遇，建立关系。"

这句话是我迈向成人之路的有关孤独的一堂课，也成了我的救赎。

长大成人之后，"对孤独的不安和寂寞"并不会就此消失。

即便交到友谊长存的朋友，找到共度终生的伴侣，建立自己的家庭，拥有志同道合的工作伙伴，不安和寂寞可能仍会继续增长。

因为尽管得到了这些人生财富，但"不可或缺的重要之人可能消失无踪的不安和寂寞"也会随之而来。

如果和亲密的朋友变得疏远怎么办？如果和伴侣分

手怎么办？如果得丢掉工作怎么办？如果父母过世了怎么办？

其中，也有人被"自己可能一个人孤独死去"的恐惧所纠缠。这样的人很可能会为了消除孤身一人的不安、填补心中的寂寞而拼命努力，最终落到可悲的地步。

如果听到有人低喃"一想到自己将来会落得孤身一人，我就好不安"，我会立刻回答对方：

"等一下，担心将来孤身一人不应该是你的问题啊，因为你一直都是孤身一人，今后也一直都会是一个人。"

听到我这么回应，对方或许会觉得"因为事不关己你才这么冷漠，真是过分"。

但我真的是这么认为的。

无论你的父母依然健在或已经过世，还是因某些苦衷而骨肉相离；不管你有朋友、没朋友，你已婚、未婚，你有孩子、没孩子，情况都一样。

所有的人一旦长大成人，到死都会是一个人，都得背负着孤独而生。我认为绝不能不去正视这个事实。

在这世上的所有人，在孤独面前一律平等，这是我的看法。

孤独是生而为人的基本条件，是考验，也是人类的强大之处。因为正是有不倚靠任何人的独立个体的存在，我们才能自立行走，活出自我。

草原上的斑马是种群体行动的"社会性动物"，但它们没办法决定自己的生存方式。要去哪里得依族群共同的意志决定，要进食也是全族群集体行动。遇到狮子攻击，必须以族群全体生命的延续为优先，就算因此牺牲一名同伴，它们也不以为意。

对斑马而言，生存的单位想必不是"个体"，而是"族群"吧。

可是，人类生活的单位是"个体"，我们是能在团体中看出个人无可取代性的生物。所以我才会认为，孤独是生而为人的条件。

尽管如此，"由孤独而生的不安和寂寞"是一项可能威胁生命的重大考验。那种痛苦，我再清楚不过了。孤独并不是一种特别的感受，每个人都是揣着孤独而生，我也不例外。

当我一个人伫立在数百人往来横行的大型十字路口时，孤独曾经找上我。

"那些人看起来感情真好。"

"周围全都是情侣，我却是一个人。"

然而，事实真的是这样吗？

总不可能在那个十字路口的数百人都认识彼此，就只有自己一个人被排除在外吧。就算有些人和同伴走在一起，但每个人都平等地揣着各自的孤独。

设计师和编辑都知道，肉眼看起来是大红色的纸张如果放在供校对用的放大镜底下看，其实是无数红点的集合。人群也是一样，大家看似在一起，但其实只是无数孤独个体的集合。

不欺骗自己，认清"孤独令人不安，令人感到寂寞。但会有这种感觉，是人心自然的反应"——只要接受这一点，孤独带来的痛楚就会缓和一些。只要你知道"所有人都是孤独的"，向其他揣着同样痛楚的同伴友好示意，此时孤独便会转化为你的优势。

人与人若是一对一相处，双方之间便能产生联系。

如果想成男女关系，或许会比较好懂。举个例子，就算是亲如兄弟的好朋友，如果两人总是时时刻刻黏在一起，干什么都一同行动，那双方都没办法交到女朋友。

想要安抚不安和寂寞，与孤独建立良好的关系，你得要凝视自己。

在你为了填补心中的空虚去和别人见面，不断地朝外部寻求安慰之前，你得花时间好好面对自己，与自己交往。

软弱的地方，坚强的地方，好的地方，讨厌的地方。

这些全都不要别过眼去，试着彻底面对自己这个人吧。生而孤独的我们，只有自己才是我们到死为止的伴侣。

置身在群体中确实会感到安心，与亲密的人在一起的确很开心，但这些关系都可能在一瞬间不复存在。转而对自己多抱一点兴趣吧。去了解自己、接受自己，然后，好好爱自己吧。

请用今天一整天的时间来好好面对自己，
试着一个人度过吧。

04 给
不愿变老
的你

总有些事不管你再怎么想逃避，仍是无法避免。

去接受这些事实，我觉得才是做人应有的态度。

费力去逃避那些无论如何都无法避免的事情，只会让自己精疲力竭。"那件事只要努力就一定有办法，但这件事不管我再怎么垂死挣扎，都无法逃开"——我觉得能够做出这样的区分是很重要的一件事。

"年纪增长，年华老去"便是无法避免的事情之一，面对这种事，我想抱着只能忍耐的心态来接受才是比较好的做法。如果硬是要去挑战，自己只会一天比一天更痛苦。

人类这种生物，有能力去忍耐那些他们难以避免的情况。试图去逃避那些无可避免的事情而拼死努力，还是抱着"这件事虽无法避免，但我能忍耐"的信念活下去，这两种态度之间有很大的差异。

抑制因年岁增长而引起的外表老化或身体衰败的方法多得惊人，想必是因为有许多人心中都怀着"衰老带来的不安和寂寞"吧。女性的这种倾向更是格外强烈。

市面上用来减缓老化的化妆品、保健食品或健康疗法，满坑满谷。然而，不管是多有效的商品或方法，都无法阻止衰老。毕竟我们无法让时间暂停，也是事实。

可是，无法阻止老化只是在生理上的层面，精神层面又是另外一回事了。

你平时会花时间好好照镜子吗？我想大部分的女性在化妆或刚洗完澡的时候都会照镜了。

在那些时候，你都在注意什么地方呢？或许你都在看自己化妆的效果、肌肤的状况、小细纹或黑眼圈，检视那些自己很介意的地方吧。

但真的必须仔细检视的应该是自己的"眼睛"。

是否还炯炯有神呢？眼神有没有失去了好奇心？是否还保持年轻？

就连刮胡子都没有好好瞧镜子一眼的男同胞们，你们最好每天也透过镜子确认一下自己的眼睛。

为什么？因为眼睛是判断你心灵老化程度的量测计。肉体的衰老无可避免，但你的心却可永葆年轻。

那些看起来愈活愈年轻的人，是通过许多人生经验和见识，获得了免于年老的自由。他们能够像小孩一样天真无邪，渴望学习新的事物，眼神总是洋溢着好奇心。

维持心灵年轻的秘诀，就是保持天真。

最近我开始意识到，渐渐去懂得"人生便是不断的学习"这个道理，或许便是一种人生的进程。

我认识的一些魅力人士即便活到七十岁、八十岁，依然显得朝气蓬勃。

无论什么时候见到他们，他们总在说"教教我，教教我，这件事我不懂"，浑身散发着纯真的光彩。他们会专心聆听小自己十岁、二十岁的人说话，向对方请教，具备一颗谦逊的心。像这样的人就算上了年纪，想必还是经常能听见旁人对自己说："您看起来又更年轻了。"

心灵年轻了，即便身体老化，眼神依然会保持澄澈，闪闪发光。

相反地，就算身体或脸庞等外在条件再怎么好，如果有一颗衰老的心，那个人的眼睛也不会有神采。

"我什么事都见识过了。"

"不管别人怎么说，我有我自己的做法。"

"我希望你不要管我，放手让我去做，因为我才是正确的。"

像这样放任自己的心变得硬邦邦的，眼神不用多久便会混浊。这便是心灵老化的征兆。

有些人才年纪轻轻，心灵便已经衰老了。特别是在人累积了一点经验，开始对自己产生自信的时期，危险的红灯更容易亮起。如果你不知道还有下个舞台在等待自己，认定眼前的舞台便是结局，你会失去许多做梦的机会。

从今以后，每天时不时照一下镜子吧。

先仔细观察自己镜中的脸。

"哦，我现在是这副模样啊。我果然变老了，现在的脸已经和十年前不一样了。"

尽可能好好地看清楚你不想面对的现实吧。装作没看见只会让你愈来愈害怕，但如果从正面去迎视，你会发现即使事态没变好，也不会变得更可怕。有些时候，你或许还会发现意想不到的"积极面"呢。

接下来，请你仔细观察自己眼睛的神采。

"我的眼神还在发光吗？有没有变老？我还在学习吗？人是不是变世故了？"

观察眼神，也就是在观察自己的心。在镜子面前审视自己的心——我认为这便是消除"衰老带来的不安和寂寞"最关键的秘诀。

年老也代表你愈来愈贴近真正的自己。累积经验，广泛交友，仔细审视自身，然后选择过最适合自己的生活——这是一件幸福无比的事。所以，就算老人也能有双神采奕奕的眼睛，这一点也不奇怪。

去凝视镜中的自己吧。
你的眼睛是否还在发光呢?

05 给
害怕疾病
的你

我把自己的身体健康摆在第一位。

我每晚十点就寝，清晨五点起床，早上会去慢跑一小时。无论发生什么事，即便有重要的工作要做，我都会在晚上七点吃晚餐，因为没有事情会比自己的身体健康更重要。为了使自己的直觉更敏锐，让自己能专注在重要的事情上，一年三百六十五天，我都会把自己的身体状况调整到最佳状态。

无论你处在什么样的职位，都不应该以"因为要工作"为理由而选择牺牲健康。如果是上班族，公司之所以规范上班时间，就是因为尊重每个人的生活和他的人生。身体和你的生命息息相关，那些牺牲身体的休息时间加班的人，等同是在缩减自己的生命。

我请教过一些自己很尊敬的人，言谈之间发现他们大都有早睡早起的习惯。在他们之中，有人肩上扛着十分沉重的职责，也有人得在短时间处理完庞大的公事，他们想必是为了让自己的身体经常保持在最佳状态，因此很重视自己的作息。

我认为让身体保持在最佳状态，不仅是厉害的人、伟大的人该做的事，我们所有的人都有这份义务。

如果有下属或员工撑着感冒或宿醉的身体来上班，对我说"我今天身体不舒服"，我恐怕会这么回他："那请把你今天的薪水还给我。"因为如果不以百分之百的最佳状态来面对工作，就无法善尽自己的职责。

看到有些人在星期一联络公司"我身体不舒服，得请假"，我实在是百思不解，忍不住纳闷：为什么不把星期六和星期日用来做最重要的事——让自己的身体好好休息呢？

虽然我不去人太多的地方，也拒绝出席喝酒的聚会，但我很喜欢和朋友见面，也很享受美食。

可是，如果和朋友见面的行程会打乱我规律的生活节奏，为了顾及身体健康，我不会和朋友见面；倘若吃下太多美食会让身体不舒服，为了顾及身体健康，我只吃五分饱就好；如果熬夜会使自己睡眠不足，就算再想看书，为了顾及身体健康，我会忍耐。

但相反地，因为我为自己设下层层限制，偶尔有机会和朋友见面聚餐，就成了生活中的一大盛事，令我充满期待，努力工作。如果星期日下午有空闲，"可以看书看个过瘾"，我便会感到无上的幸福。

只要珍惜对待，你的身体也会认真回应你。

"松浦先生的生活很禁欲呢"，有人曾这么说我，但我并不认同。我想我只是在以最适合自己的做法做好一件理当该做的事情。

"听说○○有益健康。"

"要是生病了怎么办？"

"很担心老后身体会退化。"

许多人心中都揣着这类型的不安和寂寞，如果想消除这些忧虑，就要珍惜自己的身体。

想和朋友出去玩、喝酒、享用美食，却又不希望生病；想熬夜看电影或电视节目，却又希望自己一直保持精神奕奕。这些是不可能的事。

有益身体的食物、有益健康的保健食品、喝了对身体好的饮品，世间充斥着各式各样的养生情报和健康疗法，但若是每一种都跟风尝试，就存在问题。在纵情享受之后，为了消除对生病的不安，尝试各种养生法——这似乎是种本末倒置的做法。

想要保持健康，就要珍惜自己的身体，感谢自己的身体。

这并不是为了工作，也不是什么梦想实现前的忍耐。当梦想实现，品尝果实的时刻也会到来。为了在那一刻可以尽情庆祝，我们不是该好好维持自己的身体健康吗？

在每一天的生活中，只要你把自己的健康看得比工作优先，比享乐优先，好好珍惜自己的身体，你对疾病的不安也会渐渐随之消散。当然，有时候无论自己再如何小心，还是可能意外感染疾病，但我相信一定能把病情控制在最低限度。

对身体抱有更多感恩，也能帮助你消除对疾病的不安和寂寞。

身体无时无刻不在工作。就算我们没有意识到，心脏依然在跳动，身体仍旧在呼吸，毫不懈怠地继续进行各种延续我们生命的活动。

有时候，虽然我们没有发现，但我们的身体其实经常处在生病状态。尽管出现一些异状，但身体在我们发烧、出现自觉症状之前，就努力地为我们治好了病痛。这种事一天之内搞不好会发生好几次，多亏了身体的努力，我们才能健康地生活。

单是稍微走上一段距离，体内可能便有部分肌肉因此坏死，然后自然再生。换句话说，就连"眼睛看不见的伤"，身体也悄悄地为我们治愈了。

身体是我们忠实、堪称神奇的"伙伴"，我们应该更有自觉地去意识它不是吗？我想好好爱护、珍惜、感谢自己的身体。

还有一件事，那就是"病由心生"。

我并不是指对所有的事都要乐观看待，但是每天都应该带着好心情，一天至少大笑一次。我认为这也是健康管理要做的事情之一。

请不时为你的心和你的身体
做健康检查吧。

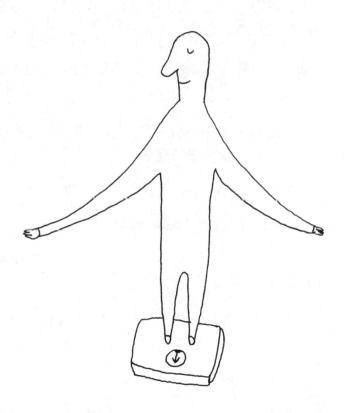

本章总结课题

小时候，你们曾经玩过沾柳橙汁在纸上写字，然后放在火上烘烤的游戏吗？

用透明的果汁写下的文字虽然眼睛看不见，但是一放在火上烤，字迹便会渐渐浮现。

每个人心里都隐藏着就连自己都不愿承认的真实想法。

用火把那些想法都烤出来吧。这样你才能发现自己的真实想法，并且去接受它。

就像用火去炙烤，采用稍微粗暴一点的治疗法。

为我们担任火焰角色的是身体的苦痛。

我去美国的"约翰·墨尔径"（John Muir Trail）健行的时候，发现了这个方法。

那趟旅行我得不停地走，还得了高山症，当我躺在冰块上待在帐篷里时，心里在想："我搞不好会死在这里。"

当时我在想什么? 脑中浮现了谁的脸孔?

令我意外的是, 就连我自己也不愿承认的各种念头一个接一个地被烤了出来。

你不必特别到优胜美地山谷(Yosemite Valley)去。

就利用你进行严苛体能训练的时候, 在你感冒发烧的时候, 在你牙痛的时候。

只要在身体被逼到极限的时候, 去审视自己的心, 你会发现自己意外的一面。

你会被迫认知到自己并不是完美的。

但那个你尽可能不想看见的丑陋的自我, 才是你应该接受的自我。

第三章

去原谅
那"两件事"

01　给
不想被讨厌
的你

我曾经很羡慕那些胸襟开阔、天真烂漫的人。他们没有邪念，性情率直真诚。因为表里如一，想必很受到大家的喜爱吧。

他们"不管别人怎么看，我就是我"的态度，想必让自己的人生变得轻松许多吧。

但说到我，就完全相反。

我很在意别人对我的看法，不管对象是朋友，还是工作上往来的人，我总是一不小心就容易想太多。

"大家心里是怎么看我的？"

"该不会其实他们都很讨厌我？"

"搞不好有一天我会被排挤。"

不管去到哪里，这样的心情都如影随形地跟着我。

那种因为想让自己看起来更体面、希望别人喜欢自己，一不小心就说出口的小谎言。

看到别人的幸福，嘴巴上说着"这很好啊"，嫉妒的火苗却在心里闷烧。

我心中揣着的秘密化为覆着一层羞耻的不安和寂寞，与日俱增，我的内心时时刻刻都暗藏着"搞不好会被讨厌"的恐惧。

而我减轻自己负担的方法，就是把自己的秘密告诉别人。

把别人知道了可能会觉得反感的秘密，鼓起勇气告诉对方。

那人是我一个很重要的朋友，我因为不想被他讨厌，希望与之坦诚相对，决定向他坦白说出自己的秘密。因为我能深切地感受到自己"不想对这个人说谎"。

我告诉他，如果就连在亲密的朋友面前都无法表现真正的自己，让我有种近似于罪恶的感受。

我还告诉他，我的真面目其实是个会撒点小谎、会嫉妒别人、会感到自卑的丑陋之人。

我的朋友一直静静听我说。现在回想起来，那就像是基督教信徒在教堂告解或类似心理咨询的行动。

我因此而得救了。自此我得以敞开自己的心门。

自己的弱点，不好的地方，觉得必须改进的地方。

这类想掩人耳目的"羞耻"，大部分的人多少都有。当时听我告白的好朋友也很快便表示理解。

"大家不都是这样吗？"

"我也是一样啊。"

"噢，原来你是这么想啊。"

就算对方没有给我什么特别的意见，单是他能听我说，我的心境便大有转变。那之后我也曾和几个人做过类似的告白，但从没有人会说"咦？松浦你竟是这样的人？真不敢相信"，或做出类似的反应。

尽管和我心中所怀抱的"或许被讨厌的不安和寂寞"成分有些不同，对方其实同样怀抱着他自己的"或许会被讨厌的不安和寂寞"，有时透过我袒露自己的秘密，双方能够更加了解彼此。

没有必要和你认识的所有人都做这种告白，而是请那些对你而言真正重要的人——无论那个人是你的家人、挚友，还是伴侣——倾听你羞耻的秘密吧。

虽然在日本尚未普及，但做心理咨询或向心理医生寻求协助也不失为一种好方法。有些话面对与自己毫不相干的对象反而容易说出口。

重要的是，不要把"或许会被讨厌的不安和寂寞"当成秘密，就把秘密全都说出来吧。

展示自己，主动袒露自己。没有比这更重要的事了。

努力把自己打开吧。"敞开心门"并不是要你单纯地大方待人，笑咪咪地面对人群，配合大家，而是希望你把平时说不出口的个人私事向某人坦白。我认为这才是"敞开心门"的行为。

如果因为担心"或许会被别人讨厌"而封闭自己的心，对方自然不知道该如何与你来往。把窗子紧紧关上，即使在大白天也拉上窗帘，屋里没有一丝动静。住在这种房子里的人，自然没有邻居会想和他们来往。

心里揣着"或许会被讨厌的不安和寂寞"的人，就像这门窗紧闭的房子。

不展露笑容。不主动打招呼。不让别人看见真正的自己。

这么做等于是自己主动疏远了周围的人。在你被别人讨厌之前，别人可能就把你归类为"不相干的人"，把你排除在外。

一直等在原地不动，只是期盼"有人来和我说说话，有人懂我、看得见真正的我"——这可是相当困难的要求。

除了告白自己的秘密，还有一个能在日常生活中进行的"敞开心门训练"。方法是：把你此刻身处的地方，想成是陌生的异国他乡。想象你身处不知名的街道，耳边听着无法理解的语言，要在异地和人交朋友。并且，试着以那样的心态和周围的人互动。

去到没有半个熟人的外国，自己主动向人打招呼、主动对人微笑是最容易交到朋友的方法。如果你只是一直待在原地，等着别人来向自己搭话，你就会一直孤独下去。除了主动出击，别无他法。

平时就试着进行这个训练，偶尔勇敢地和亲密的人倾诉自己的秘密。如此一来，你一定会发现自己变得轻松许多。

试着自己主动敞开心门吧。

方法很简单。就算对方是陌生人，

你也主动打招呼，微笑以待，这么做就行了。

02 给
想自痛苦中逃离
的你

大约从一年前起，我开始进行慢跑。

早上起床，泼水洗把脸后，便换上运动服在自家附近跑步。

那条路我经常走，一直以来并没觉得有什么特别之处。然而，当我跑在那条路上的时候，我对那条路的印象竟完全不同了。

起初，我是在凉爽的季节以不勉强自己的速度跑，但还是立刻便汗流浃背。跑了几天之后，我心想"既然身体已经习惯了，何不试着加快速度"，结果我没多久就气喘吁吁，双腿颤颤巍巍，那段熟悉的路程竟变成了一条艰辛的路。

等我终于习惯了那样的强度后，再次加快了步调。结果，艰辛之路化为荆棘满布之路，令我忍不住哀嚎："要一路跑到底是不可能的，实在太痛苦了！"

可是，等到我的身体再次习惯那样的速度，我又能流畅地跑动了。我不再气喘吁吁，双腿也不再打颤，现在我已经能够舒畅地进行早晨的运动。以前走路要花十分钟的路程，我现在只要五分钟就能跑完。

这虽然只是一件小事，但我确实有所成长，我已经能"跑得更快"。

这个例子和"面对困难的不安和寂寞"情况很像。

每个人都想避开困难通过眼前的路，但感觉到"痛苦、吃力"，却也是自己正在成长、正在前进的证明。

如果你一点感觉也没有，就代表那条路对你而言已经驾轻就熟，你并没有从中得到成长和学习。

人在健身的时候，会为自己想锻炼的部位多加一点负荷。如果想锻炼手臂，就多活动手臂肌肉，直到有点吃力的程度。如果想锻炼腿力，就积极摆动双腿，直到自己精疲力竭。

也就是说，那些承受痛苦的部位正是因为承受了痛苦，才变得更加强壮。

困难也是一样。你之所以会觉得困难，或许是因为你正在补强自己不足的地方。一切的折磨，或许都是用来锻炼自己弱点而量身打造的试练呢。

不擅长与人沟通的你如果正在为人际关系烦恼，不妨去想"为了让自己能够更灵活地建立人际关系，现在我的弱点得多承受一点重量"。

工作历练还不丰富的新人在遭逢未曾经历过的意外时，不妨去想"这场意外之所以发生，正是为了要补强我的短板，是一场使我能够变得更加能干的试练"。

只要换个角度思考，你就不会想自眼前的痛苦逃离。遇上困难时，你也不会什么都不做，一味地任由不安和寂寞膨胀。相反地，你会使出浑身解数，得到正面与困难交手的勇气。

这么一来，我相信你一定能够有所成长。

人生在世，总会碰上自己无能为力的事情。像这种时候，我们或许会抱怨"这才不是为了要让我变强的试练"，真心感到悲伤、沮丧、烦恼，甚至差点就被绝望给击垮。

但我希望自己到了最后可以这么想：

"因为这件事我学到……"

"我是因为要更上一层楼，才会碰上这种事。"

当你在苦恼过后得出这个结论，另一扇门便会为你开启。

只不过，在你能够更上一层楼，打开别扇门之前，还需要时间。这不是只要烦恼一个晚上便能解决的事情，有时也会碰上"无论如何，我都无法忍受这种事"的情况，有时候自己也会忍不住想呐喊："为什么只有我这么痛苦！"

遇到这种时候，我会念诵一个咒语：

"正因为我有能力跨越，这个考验才会降临。"

这么一想，整个人便会变得非常放松，又有余力能够去思考："这件事能让我学到什么？"

碰上痛苦的事情，我希望自己不要心怀怨恨，而是能够感恩地想："谢谢，让我得到了一个可以学习的机会。"如果一个人能把自己遇到的一切人事都当作礼物收下，他就能变成一个很棒的人。

人生就像一阶一阶地爬上楼梯，克服了一个困难，又会有其他困难接踵而至。困难永远不会消失，在这周而复始的过程中，我们一面生活一面成长。

我觉得没有痛苦，也没有辛劳的人生很无趣。

尝到了痛苦与辛劳的滋味，便能知道自己和其他人的弱点；知道对方是背负着相同弱点的同伴后，你便能对身边的人多一分体谅。

还有一个毋庸置疑的真理：你愈是想要逃避，那些令你痛苦与辛劳的事愈是会紧紧地跟随你。

与其这样，你何不回过头紧紧拥抱它们呢？不管是多痛苦的事都紧紧抓住，把它转化为使自己成长的粮食吧！

遇上困难时，就念诵这个咒语：
"正因为我有能力跨越，这个考验才会降临。"

Will be O.K

03　给
不愿失去
的你

有些孩子喜欢一个人独占玩具。

"熊宝宝玩偶、洋娃娃、皮球和游戏机，这些全都是我的，我才不要借别人！"

嘴上这么说着，把玩具全都搂在怀里。但凭孩子那小手掌和小手臂，根本没办法一次抱住熊宝宝、洋娃娃、皮球和游戏机。而且那孩子最喜欢的宝贝，其实是狮子洋娃娃，以及跟他身材一样高的兔宝宝玩偶。他还有一架玩具钢琴，根本就没办法把玩具全都抱在怀里。

孩子感到不安，于是他把所有的玩具都收集起来，放进一个连自己都装得进去的大箱子里，站在箱子前面看守。

"你们谁都不许摸！"

等到嚷着"借我嘛""让我玩嘛"的其他孩子死心回家后，孩子总算安心了。

可是，等到所有人都不在了，孩子才发现就算玩具再多，一个人玩根本一点也不开心。

不管是扮家家酒，还是投接球，都要有朋友才能玩。紧紧抱着熊宝宝玩偶，靠在和自己一样高的兔宝宝玩偶身上，尽管能带来些许安慰，但还是比不上和朋友在一起开心。

最后，孩子终于抱着自己最珍惜的熊宝宝走到外头。

"这个给你们，谁来陪我一起玩吧。"

人类积储财产或珍贵的东西，多半是出于本能。

有些人原本是为了消除对将来的不安和寂寞而存钱，但最后却落得被失去钱财的不安给困扰。

"那是有财产、有宝贝的有钱人要担心的事，和我一点都没关系。"

或许有人会嗤之以鼻地这么说，但这是误解。每个人都有自己重要的东西。虽然这之间可能是一万元价值或一百万元价值的差异，是小型屋宅或大豪宅的差别，但每个人都有自己珍视的东西。

有人重视无法以金钱取代的朋友、恋人和家人，有的人则很重视自己的工作和地位。

"要是失去这些，我该怎么办？"

只要令你有这种感觉的不可或缺之物，全都是你的财产。

只是每个人都误会了一件事：大家以为自己"拥有"那些东西，认为那些是"属于自己的东西"。但那些珍贵之物其实全都不属于你，不过是暂时寄放在你手上的东西或任务。

其实根本没有一项属于自己。

如果你是大富豪，那也只是别人信任你——"如果把钱寄放在那个人手上，他应该会把这笔钱有效地运用在社会上吧"——暂时把钱寄放在你手上。因此，你绝不能把钱当成私有物挥霍，买奢侈品，用在快乐的追求上，为了一己私利而积聚财物。

"该如何善加利用，才能为社会带来利益呢？"

你要绞尽脑汁想出办法，善加利用。

如果你拥有社会地位，那也只是别人信任你——"如果是那个人，他应该会为这个社会展开行动，也能挑起责任吧"——暂时把权力交到你手上。你绝不能自我陶醉，心想"这是我的努力有了回报、这是我的实力"，因而妄自尊大。

"为了这个社会，我能做什么？"

你得绞尽脑汁想出办法，切实执行。

如果你不能遵守这个原则，有一天你的财富和地位都会被收回。因为那些东西全都不属于你，只是暂时寄放在你手上罢了。

"不是自己的东西，只是暂时寄放在自己手上。"

只要这么想，你就不必担心会受失去的不安困扰，与这种落寞无缘。除此之外，你还能体会到与大家分享的喜悦。就像小孩子发现玩具要和大家一起分享才好玩。

同样的，我觉得也不能把公司付给你的薪水视作"付出劳力的代价""理所当然是属于自己的钱"。如果你每个月领二十万日元的薪水，却把钱都花在一逛私欲上头，未免太岂有此理了。如果要为自己花钱，那就把钱用在维持健康、让自己能精神百倍地工作、能提升自己的事情上吧。然后，通过工作，你至少要回馈四十万日元的价值给这个社会。以这样的态度工作，才是在有效活用寄放在你手上的二十万日元。如果你因为买了自己的房子，在精神上或肉体上都变得更健康，可以为社会带来更大的贡献，那存钱买房子也是一种正确的使用方式。

为社会带来莫大贡献的人住豪宅是理所当然的事，但如果你还年轻，只能做出些许贡献，公寓生活便符合你的身份。因为所有的生活和工作，出发点都是为了社会。

只要抹消"拥有"这个概念，"担心失去财产与珍贵之物的不安和寂寞"便与你无缘。当你一无所有的时候，将会有一个更宽广的世界在你眼前展开。

请检查你一个月的金钱使用方式。
你是否有效使用了你的财产呢？

04 给
害怕贫穷
的你

"我讨厌自己这么穷。"

"我会就这么穷上一辈子吗？"

有些人轻易就会喊穷，老把贫穷挂在嘴上。

可是，究竟怎么样才算贫穷？我们应该着眼在这一点上。

没钱算贫穷吗？不能奢侈度日算贫穷吗？贫穷是指不能尽情购物、住不起好房子吗？

不去谨慎思考，轻易把"我好穷"挂在嘴上，我认为这正是挑起不安、招来寂寞的原因。

贫穷与否，是由自己是否满足来决定的。金钱、房子、生活用品，如果你一味向外寻求物欲的满足，那你到死都会是贫穷的。因为无论你拥有多少钱、处在多么得天独厚的环境之中，你也不会满足。如果你只是想比别人拥有更多东西，欲望只会无穷无尽。

所以，请更专注在自己的内在吧。如果你能在眼睛看不见的东西上找出价值，你便能和贫穷永远说再见。就算从世间的标准来看你很"穷"，你依然能过得心满意足。

无论是金钱或事物，"没有"并不等于"不幸"。这点希望大家最好铭记在心。

不丹国王在一九七〇年推广GNH（国民幸福指数）这个概念，把这个指数当作治国的方针。在不丹不是以GDP（国内生产总值），而是以GNH来判断国民过得是否幸福。

在二〇〇五年举行的国势调查中，有百分之九十七的不丹国民回答"自己很幸福"。

不丹是个贫穷的国家，年收入有三成是仰赖印度等国家的援助，有百分之二十三的国民处在"贫穷水平线下"。

实际上，在二〇〇七年的GNH调查里，有将近八成的国民回答"对过去一年的收入不满"。

不过在同一项调查里，针对"你的收入是否满足家人每天的食物、住所与衣物所需？"这个问题，有将近百分之八十八的国民都给予肯定答案。除此之外，有百分之八十七的不丹国民表示自己"在精神上感到幸福"。不丹国民想必是已经了解到金钱与幸福并无关系。

根据英国心理学者的分析，在一百七十八个国家当中，日本的"国民幸福程度"排名第九十（二〇〇六年资料）。尽管生活远比不丹富饶，但感觉幸福的日本人却很少。

如果一直想着要"再来一点、再多一点"，渐渐地，你将无法从任何事物上获得满足。

"这里什么都没有嘛，真是无聊"，一直说这种话的人，我想就算去了天堂也会继续抱怨。

东西也好，金钱也罢，有多有少其实都一样，一个人是否贫穷真正取决于自己是否感到满足。到头来，竟是自己的心制造出"对贫穷的不安和寂寞"。

金钱这种东西，就像是非常难以驾驭的交通

工具。要使用巨额的钱款，必须具有相应的能力，承担相应的责任。

假使，普通收入的人必须具有驾驶载运四个家人的小轿车的能力与责任，那有钱人就必须具有足以载着二百五十名乘客翱翔天际的大型客机的责任与能力。

当然，这终究只是比喻，人命的重量并无法以数字来计量，但比起私家车的驾驶，飞行员确实需要更专业的能力。紧张、压力、痛苦，也会与你要承担的责任重量等比例。

金钱是社会暂时寄放在你手上的东西，并不是你个人的所有物，因此有钱、没钱并不能决定一个人的幸福。只要抱着这种心态，我想就能从"对贫穷的不安和寂寞"中解放吧。

再者，金钱的关键在于"如何使用"。

尽管坐拥巨款，有人却只知道把钱用在购买超乎必要的大房子，用在挥霍、享乐上，这些人便是缺乏有效利用金钱的方法。

如果你想从"对贫穷的不安和寂寞"中解放，或是获得真正意义上的富有，那就不要光顾着自己，而是放眼社会，绞尽脑汁想想自己能如何把金钱发挥出最大利益吧。我想用钱的机会一定会降临在有这些计划的人身上。

假使现在有一百亿现金可供你自由运用，
你会如何使用这笔钱呢？

本章总结课题

A

笔记本也好，一张白纸也没关系。

请在中央画一条直线，然后在右边写下自己的优点，在左边写下自己的缺点吧。

请不要客气地、尽情地在右边写下自己值得尊敬的地方。

至于左边，则提起勇气写下自己尽可能不想去正视、感到羞耻的地方。

两边的数目不同也没关系。

因为这些数目的差异会随着时间改变。

写在右边的优点，请尽管去施展发挥吧。

写在左边的缺点，则用来反省自己，但过分苛责自己则是大忌。

审慎反省自己后，就去原谅自己的缺点吧。

然后，再原谅一个你始终觉得"无法原谅"的其他人的缺点。

B

每个人都会有讨厌自己的时候。

没有自信,厌恶自己,无法原谅自己。

如果遇到这种时候,就去做一件可以立即执行、自己喜欢且擅长的事情吧。

像我的情况,我会去做美味无比的煎蛋卷。

像这样安慰自己,原谅不完美的自己。

第四章

去爱
那"两件事"

01　给
　　　在意外表
　　　的你

有一天，一个仙女来到面前对你说："从今天起，你必须把自己的生命奉献给一个人。你不再拥有自己的兴趣和生活方式，你只能像仆从一样，全心为那人而生。"

你立刻反驳说"哪有这么荒谬的事"，但仙女只是摇摇头说"这是不容你推翻的宿命"。

"你要奉献一生的对象，可以选心仪的异性，也可以是宛如王者般令你尊敬的同性。从此刻开始，你会从身边一切的人际关系中解放，因此你不一定要选择现在的伴侣，你也可以选择自己未曾谋面的理想对象。今后你将会失去一切自由，只剩下选择那个对象的自由。那么，你要选谁呢？"

你会怎么回答呢？

或许有人会选择值得自己献上一生的历史上的伟大

英雄，想当他忠实的家臣；又或许一些个性浪漫的人会选择像外国影星般魅力十足的人，当对方的家仆。

但问题是你得献出"一生"以及"自己的一切"。

你们的地位并不是对等的。你将不再有自己的兴趣，你的一切都得献给那个人。而且这段关系将会持续到永远，和挑选恋人并不相同。

"如果是我，我会选择什么样的人？"

思考这个问题时，我觉得如果是我自己，我不会从外表来挑选。举例来说，如果你选择一个美丽但没有内涵的人当作奉献一生的对象，那不会很空虚吗？我想有这种感觉的不只是我，就本质上而言，大部分的人都不会从外表来挑选对象。

在许许多多的场合中，我们的确容易以第一印象和外表来判断别人，这是事实。但是，倘若那是会左右自己一生的重大决定时，我们便绝不可能这么做。

有时我走在街上会看见令人惊艳的美女。

"好像模特儿啊，身材真好。"

我虽然会这么想，但也仅止于此。

每个人的外表本来就不一样，因此不管生得是美、是丑，我并不认为这有什么好特别在意的。

"人并不需要为自己的长相负责。"

这是我一直以来的观点。

自己的性格、自己的发言、自己的行动、自己的生活方式，这些全部是身为成人应该承担的责任，但长相则另当别论了。无论五官生得如何，都不是自己打造出来的结果。我觉得自己并不需要为这种事情负责，也觉得那些为此引以为傲的人很奇怪。

我经常说，别人并没有你以为的那么在意你，这是真的。世界上最在意你微妙的胖瘦差异的人，是你自己。

"因为我长这样，所以我才不幸福""如果我再〇〇一点，我一定能遇上更多好事"，在意外表并为此烦恼的人问题似乎大都不是出在外表，而是出在内在的心结。

其中，许多人都是受到过去的影响。童年时被爸妈嫌弃不可爱、外表曾被朋友调侃，心中一直揣着这些过去的小伤。但有时候问题往往不是出在他们的外表，而纯粹只是亲友的个人判断或是没有恶意的调侃。

由于问题的根本是出在心灵的旧伤，因此不管你如何在外表上下功夫，问题也无法解决。

即便花长时间化妆，减肥让身型苗条，也无法消除"外表引起的不安和寂寞"。我常听说有些人就算整形做了大眼睛，把鼻梁垫高，依然无法消去心里的自卑，反而因此陷入愈整愈多的状态，一心期待自己"再美一点、再瘦一点"。

而且那些极端在意自己外表的人往往不化浓妆比较可爱，不减肥的身材比较匀称，还有那些令人纳闷为什么要整型的美女。这实在令人不胜唏嘘。

我想到的应对方式有三种。

1. 了解问题并不是出在自己的外表，而是出在过去。

2. 重新回顾过去，如果过去的自己有不恰当的行为，便反省改进。

3. 让过去的成为过去，不把旧伤带到今天。

请试试看这三个办法吧。

抛开过去，活出全新的自己——心情的转换无需改变一张脸或是判若两人地改变身材，你也能办得到。

唯一必须为自己的外在负责的部分，是自己的服装仪容。穿着整洁与符合社会礼仪的服装，是成人应有的教养。

你唯一必须为自己的外在负责的部分，
是你的服装仪容。
你是否打理好你的仪容了呢？

02　给
　　讨厌自己
　　的你

"我这样子行吗？"

神经质，太害羞，胆小，过度谨慎。

比起外在，或许很多人更介意"面对内心时所产生的不安和寂寞"。

"我做人是不是太失败了？"

"再这样下去，我会不会没救了。"

我本人不仅相当神经质、个性害羞又胆小、容易对这类型的不安和寂寞太过敏感，就连到了现在，我也经常为此疲惫不堪。从前我总是不知道该拿自己的这一点如何是好。

一直到了最近，我总算学会了如何驯服这种"面对内心时所产生的不安和寂寞"。

我所尝试的第一个有效方法是——不要对自己生气。

从前的我很在意小细节，往往一点小事就能让我放在心上，然而察觉自己有这种毛病后，我对自己很生气，导致心情变得更加烦躁。

"为什么你就这么神经质呢？你的心胸不能再宽大一点吗？"

我甚至会像这样斥责自己。结果，个性神经质又胆小的我变得更加战战兢兢，更加神经质与胆小，陷入了恶性循环。

直到有一天，我决定去爱我心中的那个胆小鬼。

"没关系，你就保持这样吧。你的确神经质、害羞，又胆小，但这又不算什么异常的毛病，也不是什么非改不可的缺点。"

就像在处理人际关系的时候，有许多情况，只要你不生对方的气，接受对方，原谅对方，珍爱对方，状况立刻就能得到缓解。

但消气也需要契机，这时我所尝试的做法是——寻找自己内在性格的"优点"。

就拿神经质这一点来说，如果从正向的角度看，也代表那个人注意力很敏锐，也可以说他是敏感、感受力强。就和有些人嗅觉特别敏锐、视力特别好，是同样的情况。

无论是在公事上，或是私人生活中，敏感有助于提升想象力和观察力，由此可以催生出对他人的关怀。虽然人太敏感的确有坏处，但敏感同时也是一个非常好的优点。这个发现使我释怀了许多。

尽管如此，过分敏感确实会让自己以及身边的人都劳累不堪。

举例来说，据说狗的嗅觉能力是人类的一亿倍。那虽是狗的强项，但如果我的嗅觉也达到狗儿的水平，搭客满电车的时候可就头疼了。

身上有烟味的人。种类五花八门的女性香水。男性整发剂的味道。早餐食物的味道。汗水的味道。皮包的味道。电车里不流通的空气。光是想象我就鼻子发痒。

同样的道理，如果把过度敏感的自己毫不掩饰地表现出来，与各种事物过度接触，我想传感器也是会损毁的。

在这里简单为大家介绍一下，有此困扰的我所尝试的想象练习法。

你的头部是由许多零件组成的。

每一件都是精密的装置，复杂地组装了许多螺丝和弹簧，就像是瑞士制造的老钟表内部，每个零件都忠实无休地运作着。

这机械是以镊子组装了上千件零件做成的，因此就连别人无心的一句话、其他人没注意到的小细节，都能迅速反应，灵敏度极高。当你在工作时，或是当你在关心自己重要的人的时候，你头部的精密仪器都大大派上用场。因为它能察觉危机的讯号，迅速地响起警报。

然而在持续使用的过程中，这部仪器的温度也会渐渐升高，变得愈来愈烫。由于这个装置是精巧的机械，你得时不时让它休息，以防损坏。

首先，请你用拇指指腹和食指掐住仪器上最大的一颗螺丝，试着转开吧。一开始螺丝或许有些紧，但在你慢慢使力的过程中，螺丝也会愈来愈容易转动。完成这个动作后，精密仪器有部分的功能便进入休眠。

深呼吸一下吧。顺便，让身体也放松一下。这时候，其他人的目光不再像平时那么令你在意。你的感觉就像隔着一层毛玻璃和其他人对峙，虽然看得见对方的脸,但是只知道对方在微笑。另一头的人也和你一样,没有人凝神盯着你看。于是,你变得轻松一点。

接下来,将小型的螺丝起子抵在第二大的螺丝上,试着轻轻转动吧。螺丝轻轻松松地就转开了。完成这个动作后,精密仪器又有一部分的功能进入休眠。

此时传进耳里的人声比平常模糊许多,就像人潜进了水中,传进耳里的声音变得含糊不清。虽然你还听得见,但只听得到笑声。对方也听得见你的声音,但是因为你整个人很放松,没有特别的话想说,于是你只是随兴地"噢——"地出声喊一下。于是,你又变得轻松一点。

偶尔在独处的时候做这种想象练习,与人见面时则可以采取更简略一点的做法——念诵咒语:"松开脑袋的一两颗螺丝钉"。偶尔恍惚一下,讲通俗点,就是"装一点小傻"。这个做法对我很有效。

心中揣着"面对自己时所产生的不安和寂寞"的人,也可以说是对自己的内在太过敏感的人,因此这样的想象练习法应该会有帮助,请各位不妨一试。

想象自己正在松开脑中螺丝钉的画面吧。

03 给
为生育感到苦恼
的你

不必把这想作是命运,也不必逼自己尽快忘却。

更何况,这也不是能够轻易忘掉的事情。传宗接代是生物的原始本能之一,无论你是男人或女人,任谁都可能尝到"无法留下后代的不安和寂寞"。

特别是女性,听说女性对生育苦恼的程度,男人根本就无法想象。这是一个非常敏感的议题。

在有此烦恼的朋友当中,有些人曾因为某些无心又刻薄的言论而受伤,也有些人背地里在接受医师的治疗;有人在身边亲友喜获孩子的时候,没办法诚心地替对方感到高兴,并为此感到罪恶。

接下来我要说的话,恐怕有人会觉得我的想法过于乐观。当然,我不会说什么"这种事情不重要",也不打算露出感同身受的表情说"你的心情我懂"。

由于这个问题实在太过敏感，身为男性，又有小孩的我或许不去碰触比较妥当。

但我还是有话想透过本书来告诉你，那就是——留下后代并不是人生唯一的目的。

现在许多人都因为某些理由而不生小孩，或者该说是不方便生小孩。难道这代表那些人也没有善尽他们人生的责任、任由生活的希望就此破灭吗？

我觉得这样的结论未免太过荒谬。因为只要反过来想就知道。难道生了小孩，就算达到人生的目的了？这也是个太过荒谬的结论。

人在一生中，除了生小孩，至少会有一、两件事是只有你才能做到的。这些事和你有没有生小孩无关，使你能留下属于自己的足迹。

至于人生的目的为何，答案因人而异。

不过，无论各人的目的为何，要达到目标有个共通条件，那就是——必须要爱自己。我下定决心至少要遵守这个原则。

就算自己可能被全世界的人讨厌，就算被骂说是"无可救药的家伙"、被批评为"没有活下来的价值"，我还是决定要继续爱自己。我发誓，无论自己能做什么、不能做什么，欠缺什么、拥有什么，我都绝不能讨厌自己，要好好珍惜自己，到死都要继续爱自己。

幸福的定义也是因人而异。

但要过得幸福有个共通条件，那就是——要活得像自己。只要能活得像自己，或许终有一天你能达成自己的使命。

因此，就算你没有留下子嗣，或是有其他理由，我都希望你不要因此苛责自己。

你应该是最值得自己深爱的对象，所以，不要再把自己当成是有缺陷的人，不要把没有小孩这件事视作人生的不完满而深陷不安与寂寞，别再虐待你自己了。

在尝到"无法留下后代的不安和寂寞"滋味的人之中，有些人得花上数年时间才能振作起来。毕竟这是一个重大的课题，我想这也是在所难免。

不必把这件事归咎于命运而死心，也不必心想着"我要改变命运"而反抗。

不必假装不在意，也不用心想"我一定得转换心情！"，强逼自己遗忘。

我觉得唯一的做法是花时间去烦恼，仔细思索，努力从这件事上学到东西。

"要活得像自己，达成自己的使命，我该怎么做呢？"

"只有我才办得到，只有我才能催生出来的东西是什么？"

"这场考验之所以降临在我身上，究竟是想教导我什么呢？"

或许你没办法想出所有的答案，但我觉得这样也没关系。因为，这正是自己还活着的证据。活着不是在寻找答案，而是要面对自己，一面思考一面累积每一天的经验。

或许，这些问题根本就没有答案，但我同样觉得没关系。因为就算找不到答案，也不代表自己是个糟糕的人。

关于人生这个命题，如果像猜谜节目那般迅速便能给出正确答案,反倒比较奇怪。而且就算你得出结论，也没有人能断定那究竟是不是正确答案。

烦恼的自己，痛苦的自己，身而为人，这样的自己反而是对的。不妨去爱这样的自己，如何?

不要轻易抛开那些重要的烦恼，
就想成是让自己成长的养分吧。

04 给
想实现梦想
的你

大约在我年满三十五岁的时候,我实现了一直以来的梦想。

但是我心中并没有"终于实现了!"的兴奋。

感觉比较像"当回过神时,梦想竟实现了",心情很平静。

心里也有一些感触,"嗯,没想到会以这样的形式实现我的梦想啊"。

但我之所以能说出这种话,是因为长久以来,我始终把梦想放在心里。我毫不气馁,就像每天洗澡、吃饭一样,理所当然地持续拥抱梦想。

但平常我并不是一心为了梦想而拼死努力。事实上,我并没有做这种事。我只是轻松地,但全心全意地,一直相信自己的梦想会实现。每天每日,不过度勉强自己,孜孜不倦地为了实现梦想而付出行动。

我只能说，这便是我实现梦想的方法。

梦想并不像圣诞礼物，有人会送上门给你。也不是突然从天而降的东西。不是公司、双亲或这个社会向你说声"请收下"，就把梦想像奖品一般送给你。

梦想不会受经济好坏所影响，也不会因为机遇邂逅而改变。无论处在什么样的环境里，我认为梦想都只能靠自己每天一点一点累积努力去实现。

"我的梦想可能不会实现了。"

"我这辈子或许不能得偿所愿了。"

"小时候向往的事情，我竟一件都无法实现，我就只能活得这么平凡吗？"

心中揣着"无法实现梦想的不安和寂寞"的人，大都是一心只想着未来的事情。也可以说他们总是专注在"总有一天"，以致懈怠了"今天"。

如果你真的想实现梦想，最快捷的方式便是竭尽所能地过好今天。与其一味向往未来，不如更加珍惜品味今日一天所得到的充实感和成就感。

就算碰上了痛苦的事，也不逃避现实，用心地过生活。不受过去牵绊，也不因未来而分心，重要的是坚持过好今天。

只要竭尽全力地过好今天，明天自然会到来。如果明天也是全力以赴，后天自然会到来。经过这无数的反复，你的梦想自然而然便会实现。

只要竭尽全力地过好今天，就算只有小小一步，你也确实在向前迈进。由于你始终毫不懈怠地踏出脚步，一点一点地朝梦想前进，自然而然地，你心中那些对明日的不安、对未来的恐惧，也会渐渐消散。

人生在世，哪天会发生什么事谁也不知道，或许有人真是一夕便美梦成真。但我认为一夕成真的梦想也会突然就消失无踪，迅速到手的东西也会轻易地便离开自己。这可能就像临时抱佛脚所背完的功课，总是一考完就忘光。

从这一点来看，自己投资漫长时间、脚踏实地完成的梦想，才算真正属于自己。这道理就像花一年苦读的学问，不会那么容易便忘掉。

要实现梦想还有一个重要的关键，那就是相信"梦想绝对会实现"的力量。

如果一心认定梦想不可能实现，你便无法全力以赴地过好每一天。不必过度紧张，而是以轻松、轻盈的态度，相信"实现梦想没有自己想的那么难""梦想比想象中容易实现"。我觉得这种相信的力量很棒。

这些话虽是老生常谈，但能够实现梦想的人往往便是那些对自己的梦想念念不忘、永不放弃的人。

我经常问别人"你的梦想是什么？"，但总有人回答"我不知道""我没有梦想""我不知道该做什么样的梦"，每次听见这类答案，我总是很吃惊。

因为我拥有许多梦想，要让我说上一整晚都道不尽，虽然我已经实现了其中一两项，但我还有许许多多的梦想有待实现。

我觉得那些说自己没有梦想的人似乎都是抱着"反正梦想不可能实现"的心态，因此放弃了寻梦。

"反正这个社会不会好了，谈梦想还有意义么？"

如果想忘记这些绝望，有两个方法。

一是明了"只要你每一天的生活都全力以赴，梦想自然会实现"的道理。

另一个方法是——把梦想写在纸上。

会把梦想写下来的人好像不多，但我一定会把自己的梦想写下来。因为梦想有大有小，不写下来可能会忘记。

要写在记事本或纸上都可以，总之，就把自己的梦想写下来，每天看几遍。早上起床看一遍，白天也看一遍，睡前也看一遍。只要你一直看，那些梦想就会输入潜意识里，你自然而然就会采取与梦想有关的行动。

"光是把梦想写下来，就会在无意识中激励自己行动，有没有把梦想写下来，结果可是会差很多。"

我有时会这么建议别人，但却很少有人实行，我觉得真的很可惜。

"我向往拥有这样的经验。"

"我想变成那样的人。"

就算只是笼统的计划或小事情也没关系，赶紧把你的梦想写下来吧。然后，全力以赴地用心度过你的今天。

在记事本里写下你的梦想吧。

05 给对一切
都感到不安
的你

或许，这才是最难以对付的情况。

"不明所以的不安和寂寞"。

在本书里我已经介绍过许多种类的不安和寂寞，但其中没有比"模糊不定的不安"更难处理的。

觉得自己仿佛茫然置身在黑色的云雾之中，却又不知是出自什么原因。不知道自己是为了什么不安，又为何会感到寂寞、感到恐惧。

碰到这种情况，我会选择行动。因为光是用脑袋想，不安和寂寞的情绪并不会消除。因此烦恼到某个程度后，我就会思考"我该怎么做？"。就算只想得到很小的事，我也会去尝试自己想出来的对应方法。

"这个方法可以消除你心中的不安和寂寞。"

只可惜，这方法并不是万灵药。但应该能稍微改善现状。不要权衡得失，只要行动，情况一定会有所改变。持续努力后，你将会有新发现。而那些新发现一定会对情况有所帮助的。我觉得全力以赴地过好每一天，便是指这个过程的反复。

不安和寂寞并无法消除。只要你抱持希望继续奋斗，挫折和失望也会如影随形。然而，就如同夜晚总会结束，黎明总会到来，一切都在周而复始。无论面对什么事情，只要秉持"我不是要解决这件事，只是想调整一下状况"的心态，想必你便能不退却地展开行动。

如果什么都不做，任由自己继续烦恼下去，你的心很可能会因此生病。

"我希望今后的生活能够更积极，我究竟该怎么做才好？"

有一次，我这么请教一位我很尊敬的编辑前辈。

这位名编辑曾经担任过数本人气杂志的总编辑，同时也是一位善于发掘他人优点、善于称赞对方，让对方也能看见自己优点的牛人。

他总是比任何人都早一步注意到我的每一步动静，并送给我一些勉励的话语。

在我开始替某本杂志写专栏的时候，收到他写下读后感的明信片，"你的文章很有趣，我非常期待"，他的动作甚至比我的责任编辑还快。

在我担任《生活手帖》杂志总编辑所出刊的第一期杂志发售日隔天，我收到了一张明信片。

"你在做的事非常了不起，今后也请好好努力。在这个杂志变得乏味的时代，这本杂志让我感觉到未来极大的可能性。"

这位名编辑和我不是会私下相约吃饭的关系，我们之间并没有亲密的私交。对方是杂志业界的重量级前辈，是我没有资格亲密往来的大人物。但每当我感到不安，心中抱持疑问"对我所做的事，世人究竟是怎么想的？"，他总是那个第一个写明信片给我的人。而且对象不只是我，他也给了许多人同样的礼物。

商业书经常会建议读者利用明信片寄送感想文或答谢卡，一般人都把这视作一种社交礼仪，是年轻人建立人脉的有效做法。

但这位编辑已是出版界的大前辈，被大家公认为无出其右，想必早已人脉丰富，不再需要建立人脉。尽管如此，这位名编辑如果听到自己不懂的事，即便是面对年轻人，他也会坦言不知，表明愿闻其详，向对方讨教。听见有趣的回答，他也会开心地笑道"这可好玩了！"，好奇心颇强。

正因为他是这么一位了不起的人物，我便尝试向他讨教，请教他是如何处理不安和寂寞，以及他积极面对生活的秘诀。

"首先，要忍耐。然后，要舍弃自尊。"

这是名编辑对我问题的答案。

所谓忍耐，就是指要接受别人的意见。对方在三十年的编辑生涯见过形形色色的人，可说是倾听对方说话、听取别人意见的专家。他对压抑自己——也就是忍耐——的重要性，想必再清楚不过。忍耐，也代表选择不逃避。站在总编辑这个位置工作，也就是处在率先遭受非难与批评声浪的位置。那种时候如果做不到忍耐，这工作实在是干不下去。

这位名编辑看着许多青年人一路成长，也看到他们之后的发展，他和我分享了一件事。他说，聪明的人、品味好的人、努力的人、勤勉的人，靠着努力和才华可以达到某种程度的成功，但他们往往无法再更上一层楼。因为光靠努力和才能是不够的。他说，此时阻挡他们成长的便是自尊。

无法舍弃自尊的人和无法忍耐的人，都无法获得真正的成功。由此可见，忍耐和舍弃自尊有多么重要。

听到他这番话，我感到有些不解。我懂得"要忍耐"是什么意思，但我认为自尊是支持自己的力量，应该是绝不能舍弃的东西。

我花了一段时间仔细思考对方的话，最后，总算是想通了——那是因为，自尊也有真正的自尊和冒牌的自尊之分。

真正的自尊能够保护自己，但许多人一心认定是自尊的东西却是冒牌的，冒牌的自尊并不能保护自己。诚如这位名编辑所言，冒牌自尊是应该舍弃，因为那也是"不明所以的不安和寂寞"之所以发生的原因之一。

冒牌自尊是种为了"保护自己、向人炫耀、打压对方"而存在的铠甲。虽然看似是以坚硬的金属制成，但一碰就会粉碎，十分靠不住。

"你看我多厉害"，一下子夸示自己的能力；"我是这么想的"，一下子把自己的看法强加在对方身上，总是要把自己比别人优秀的地方表现出来。但那些行为其实都是源自于自己内心的软弱。冒牌自尊是由无法脱下铠甲的不安和寂寞所孕育出来的，根本就靠不住。

如果能够肯定自己，就算赤裸示人也没关系。如果能够肯定自己，既没有必要夸示自己的力量，也没有保护自己的必要，根本就不需要铠甲。

我总算是理解了，"原来如此，冒牌自尊的确必须要舍弃"。

学会忍耐，舍弃冒牌的自尊，积极地度过每一天。

就算做到这些事，我们仍旧无法与"不明所以的不安和寂寞"彻底切断缘分。每当我们忘记它的时候，它一定又会探出头来，纠缠我们。

遇到这种时候，就把那些令你感到不安的事、令你觉得寂寞的事，以及自己为什么会觉得受束缚的原因，全都写在纸上吧。向别人倾吐也是一种做法，不过就如《安妮日记》里所写的，"纸张比人类更有耐心"，不管你心中有多少话，纸张都愿意倾听。

你也要知道，如果只是抱着膝盖等待某人伸出援手，期待对方治愈自己的不安和寂寞，那并不能解决任何问题。

英国作家乔治·艾略特（George Eliot）留给我们一句话。

"It will never rain roses: when we want to have more roses we must plant more trees."（天空可不会下玫瑰雨。想要更多玫瑰花，我们就得栽下更多树。）

不是只有你一个人心中怀抱着"不明所以的不安和寂寞"。

恐怕这世上大部分的人都和你一样有颗软弱的心，大家都揣着各自的不安和寂寞。如果你能够承认自己心中的不安和寂寞，并且拥抱它，珍爱它，你便也能去爱其他同样怀抱不安和寂寞的人。

我觉得，这也是缓解这世上所有的不安和寂寞的好方法。

希望别人怎么待你，你就怎么对待别人。

没错，就像去种下你的玫瑰树。

本章总结课题

试着做一张自己从出生到现在的年表吧。

这个方法可以帮助你客观地认识自己。

写下发生过的人生大事，以及你当时的想法。

写下别人做过什么事令你很开心，别人又做了什么
事令你觉得反感。

从旧到新，把这些事件从回忆里一一挖掘出来吧。

刚开始的一小时，你可能只能想起两三件事。

就慢慢地化时间回想吧。就算只能想起片断的回忆，只要一一补上，打结的丝线便会渐渐解开，往事又会浮现眼前。

记忆会进行对自己有利的"编辑作业"，你就尽可能客观地陈列事实吧。

认清真实的自己之后，你会发现自己的人生并非都是坏事。

当然，也不尽然全都是好事。

你就对经历了一切好事、坏事一路走来的自己，说一声"今后也好好努力吧"，好好地疼爱自己吧。

关于松浦弥太郎
——编者后记

松浦弥太郎先生头上顶着很多光环。

他是日本最具个性的书店"Cow Books"的创始人。

他是多本畅销书的作者。

他是日本殿堂级城市生活杂志《生活手帖》的总编辑。

但如果只用一句话来介绍他,我会这样说:

他,可能是日本最懂生活的男人。

十八岁,避难美国

要解读松浦,似乎要从他早年在美国的那段灰暗经历说起。

18岁从高中辍学,只身赴美,松浦坦言这段看似潇洒的异国流浪之旅,其实是为逃离现状的"避难之旅",并没什么"去美国追梦"之类冠冕堂皇的理由。

"就像是长时间被囚禁在一个很难受的房子里,自然会想着从那里逃出去。我去的地方刚好是美国，仅此而已。"

而就是这一轻率的决定，成了他人生的转折点。

语言不通、没有朋友、无所事事。落地美国，松浦才渐渐意识到，当时人人向往的星条国似乎并没有自己的容身之所，"走到大街上，我看见有人和家人同行，有人则是和朋友走在一起。有情侣，也有看似同事的组合。在他们之中，就只有我是一个人……走路是一个人，看电影也是一个人。想去餐厅简单吃点东西，也是一个人。不，准确地说，我根本没办法去餐厅"。

他遭遇了人生中前所未有的困境，第一次不得不为了"活下去"而挣扎。

但也正是这份孤独让他更靠近自己，开始思考对自己来说真正重要的是什么，"在那时，我第一次认识到了自己的内在，第一次认真思考我到底是什么样的人"。

松浦先生独特的生活观，也许就从那时开始生根发芽。

创造最有个性的书店"Cow Books"

位于中目黑的二手书店"Cow Books"是一家只有两千册图书的小书店，更确切地说，这是一个松浦的私人商店。书店里珍藏着已经绝版了的20世纪六七十年代关于社会运动、政治改革、主张宣言、垮掉的一代，还有那些早已被他人遗忘了的作家的首版印刷古书，这些都隐隐透露出了"Cow Books"所体现的一种文化气质，其所呈现出来的，也都是松浦自己的趣味、经历、美学、品味。"'Cow Books'所追求的，就是只上架我们自己读过的、感动过的、理解了的书。正因为如此，有旧书也有新出版的书，不去区分它们，全部归在'松浦弥太郎'这个类群里"。"Cow Books"的魅力不仅在于松浦赋予了它独特的个性，也在于他朴素真挚的经营理念，"因为这些书至少是自己读过后收获感动的书，可以把和客人诚恳地分享这份感动作为工作的目的，这点绝对是我们的尊严"。

从某种意义上说，"Cow Books"是在试图追忆，甚至复兴那个图书真正有趣的时代。"1960年代到1980年代之初，书是可以自由出版的，那个年代，纯粹为了传递自己收获的感动这样抒情意味浓厚的书很多"。遗憾的是在那之后，只是为了销售而生产的书大量涌现，图书的魅力不复存在了。

究竟什么才是有魅力的？在松浦看来，有魅力的事物有一个共性：怪。这种怪，即是人性化。"人是一种有趣的生物，于是，就会'怪'。每个人不是都有'怪'的地方么？只不过大家平时谨言慎行，而退去伪装都是'怪'的"。

并非把"怪"作为卖点，正是因为认真做，才会怪，才具有独特的个性和魅力，一如在那个图书的好时代，"只要拥有一本1950年代的Harper's Bazaar，就等于拥有了一年工作所需的创意。"松浦曾在书中如此感慨。

另一方面，那是一个手工化程度很高的时代。用金属活版来印刷文字之类，一个个流程里都需要人工介入，如此一来，书所迸发出的力量自然就变强了。

书渐渐失去的人性的温暖和自由的气息，正是"Cow Books"想要找回的。

至于为什么只有两千本呢？

"这是一个人能读能通的量。"松浦先生回答。

和《生活手帖》戏剧性的相遇

《生活手帖》是一本有着六十多年历史的实用生活杂志，由日本美学的代表人物，传奇主编花森安治一手创办。

拒不刊载任何商业广告的创办理念使《生活手帖》在日本杂志界始终保持一个特立独行的存在，其内容的实用性和美学价值也深刻地影响了战后日本人民的生活。

松浦和《生活手帖》结缘，也充满戏剧性。他在一次纪念"花森安治和《生活手帖》"的展会上发言，大胆地对这本老牌杂志的腐旧提出了批评。多年后在一次访谈中回忆那段经历，松浦仍心有余悸："后来才知道会场里第一列和第二列整齐划一都是《生活手帖》一代代的前辈和职员。我当时竭尽全力在说，但说到一半，大桥镇子（杂志创办人之一）唰地站起来，我麦克风都差点掉。九十岁的大桥女士盯着我看，然后不发一言地出去了。大家窃窃私语。"

所幸最后这被证明只是虚惊一场。更让人意外的是，几个月后，松浦接到了《生活手帖》杂志社的电话，希望他能来担任主编，重塑杂志形象。

要接手由花森安治所创办的这本流行了六十年的杂志可不是闹着玩的。当时没有任何杂志编辑经验的松浦很怕辜负期望，婉言回绝了邀请。没想到对方很坚决，一再坚持，让松浦自己都困惑不解："为什么是我呢？"对方回："是直觉。"

也就是这句简单的回答打动了松浦，他回忆道："我人生中第一次听到别人对我说这样的话，听了这样的必杀句还推托的话，我对今后的人生可能都会失去信心。"于是，他停下了所有工作，带着"决定接受就拼命去干"的心情接了下来。

四十一岁的他，第一次就业了。

把杂志当人对待

刚走马上任那会儿，松浦绞尽脑汁地思考如何调整战略、改变策划方案，期望给这本古老的杂志注入新的活力。那段时间他的想法每天都在变，但唯一不变的是这样一种愿望：希望当读者翻开杂志任何一页时，都能感受到杂志人制作时的体温和笑脸。

正是在这种美好理念的驱动下，《生活手帖》编辑部里无论是选题策划还是最终排版，最后一定会确认"这一页能不能让人幸福""这一页是不是可有可无"。因为《生活手帖》里没有广告，读者成了实实在在的赞助商，"得让他们买这一页，也就是说，读了这一页的人没有收获幸福那就是失败的。所以，一词一句都要仔细看是不是合适，审核到最后一秒"。

在松浦的美学观里，一切事物都朴素地与人联系在一起。所以他把杂志设想成一个人，"用对人的态度，就不可能粗暴起来"。

这种真诚与用心正是《生活手帖》能够立足于更迭不断的日本出版业，始终魅力不减的根源所在。

从这个角度看，与其说松浦对《生活手帖》做了什么改变，不如说是他把从花森安治时期就确立的优势和理念再一次打磨。

严于律己的人，才有资格享受生活

尽管身兼数职，事务繁杂，松浦却始终恪守着清教徒般规律的生活。

早上五点起床，跑个马拉松，晚上五点半结束工作，七点和家人一起用餐，十点准时睡觉。经年如此。

三个人以上的聚会，他尽可能不参加。

派对之类的活动一概婉拒，酒约和饭局之类的邀请，也同样谢绝回避。

他喜欢和朋友相聚，但每个月只安排一到两次见朋友的时间。

他最爱的食物是咖喱饭，但每年规定自己只能吃三次。

这种高度的自律和克制，让他更期待和享受每一次身处其中的过程。

"严于律己的人，才有资格享受生活"，松浦先生的这句话，足以诠释他的整个生活美学观。

当然，他不仅这么要求自己，也规定《生活手帖》社的员工每天下午五点半都要下班，去寻找美食、发现生活的趣味，在松浦看来，培养足以影响一生的工作品味，要比在例行公事上花费数小时来得重要多了，"如果只有工作和睡觉，好的创意不会出来"。

孤独的美学

"孤独"是松浦的"生活美学"里绕不开的一个话题。

在很多人眼里，这个词带有负面含义。但松浦却不这么看，他认为在孤独面前，人人平等。能够接受孤独的现实，才是"能够自立独行的一个大写的人"，才能真正读懂他人的心。

他在一次访谈中曾提到自己的经历带给他思维上的转变："我因为旅行以及其他事，变得孤零零时，逐渐意识到能够对他人的心意、对很多事情心怀感激也是一种自立。通过让别人接受孤独的自己，可以和他人相连，也能够获得真正意义上的交流。"

要理解他人是困难的，理解自己则更不容易，但也更重要。他有一个广为人知的著名言论：人的一生中有两个生日，一个是自己诞生的日子，一个是真正理解自己的日子。

因此松浦无比珍视独处的时间，"独处的时间就是思考的时间，就是自己找答案"。

他在书中写道：不管面对他人时再怎么强势，面对自己时却很怯弱，这就是人。只有正视自己的孤独与脆弱，才是获得强大内心的途径。

作为松浦的编辑，我很荣幸在自己的编辑生涯里遇到松浦先生这样一个贵人。他的美学理念看似简单却充满洞见；他的文字朴实真挚，如他本人一般亲切真诚，没有丝毫说教的意味。

读他的文字，你会发现他并不试图要改变你，更没有充当权威或导师的野心，他只是在以一种交流的姿态，和你分享着他对生活的洞察、对人生的思考。

但你若问我松浦先生是否改变了我，我会诚实地点头。

至于说他的生活美学观对我的影响有多大，我想我会这么回答你：

当我遭遇困境、面对抉择的时刻，我会问自己：如果是松浦先生，会怎么做？

AISANAKUTEHA IKENAI FUTATSU NO KOTO by Yataro Matsuura

Copyright © 2011 Yataro Matsuura

All rights reserved.

Illustrations by Tomo Ohta

Originally published in Japan in 2012 by PHP Institute,Inc.

Chinese (in simplified character only) translation rights arranged with PHP Institute,Inc. Japan.

through CREEK & RIVER Co., Ltd. and CREEK & RIVER SHANGHAI Co., Ltd.

著作权合同登记号：18-2013-244

图书在版编目（CIP）数据

不能不去爱的两件事 /（日）松浦弥太郎著；张富玲译.

— 长沙:湖南人民出版社,2013.8

ISBN 978-7-5438-9515-7

Ⅰ. ①不… Ⅱ. ①松… ②张… Ⅲ. ①人生哲学—通俗读物 Ⅳ. ①B821-49

中国版本图书馆CIP数据核字(2013)第140685号

不能不去爱的两件事

[日] 松浦弥太郎 著　张富玲 译

出 版 人	谢清风	
出 品 人	陈垦	
出 品 方	中南出版传媒集团股份有限公司	
	上海浦睿文化传播有限公司	
	上海市巨鹿路417号705室（200020）	
责任编辑	夏新军	
书籍设计	孙浚良	
出版发行	湖南人民出版社	
	长沙市营盘东路3号（410005）	
网　　址	http://www.hnppp.com/	
经　　销	湖南省新华书店	
印　　刷	河北鹏润印刷有限公司	
版　　次	2013年11月第1版	
	2018年6月第1版第9次印刷	
开　　本	787mm×1092mm 1/32	
印　　张	5.25	
书　　号	ISBN 978-7-5438-9515-7	
定　　价	32.00元	

出品人: 陈 垦
策划人: 余 西
出版统筹: 陈 刚 张雪松
编 辑: 张逸雯
装帧设计: 孙浚良

投稿邮箱: insightbook@126.com
新浪微博 @浦睿文化